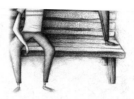

© 温文稳问　2005

图书在版编目（CIP）数据

没人疼/温文稳问著. —沈阳：春风文艺出版社，
2005.7
（青春爱情坊）
ISBN 7 – 5313 – 2933 – 6

Ⅰ. 没…　Ⅱ. 温…　Ⅲ. 长篇小说 — 中国 — 当代
Ⅳ. I 247.5

中国版本图书馆 CIP 数据核字（2005）第 069263 号

没人疼

责任编辑　朱立红
责任校对　潘晓春
封面绘画　一　清
装帧设计　马寄萍
出版发行　春风文艺出版社
社址　沈阳市和平区十一纬路 25 号　　**邮编**　110003
http://www.chinachunfeng.net
联系电话　024-23284385
传真　024-23284393
购书热线　024-23284402
印刷　辽宁印刷集团新华印刷厂
幅面尺寸　140mm×215mm
字数　140 千字
印张　6　**插页**　2
印数　1—60 000 册
版次　2005 年 8 月第 1 版
印次　2005 年 8 月第 1 次印刷
定价　15.00 元

1 邂逅

"瘦了，我都瘦了。"老大对着镜子龇牙咧嘴，一边伤感地捏捏自己的脸蛋子。

刘学和老疙瘩正趴在窗户上，远眺校门外一排酒楼饭店的霓虹灯，刘学目露凶光，"谁说朱门酒肉臭啊，我不嫌臭，现在谁要给我 50 个羊肉串，我就是他的人了!"

"贱!"老疙瘩吐了口唾沫，"要是我，开价至少 80 串!"

我有气无力地站起来，同时吩咐赵赤峰，"你先用酒精炉烧一锅开水，我到隔壁去，说下面条儿就缺俩鸡蛋——回来咱们煮鸡蛋吃!"

赵赤峰摇头，"这招儿都用几次了? 隔壁现在看鸡蛋看得比老母鸡还紧呢。"

寝室门哐当一下被踢开，一个肉滚滚的大脑袋晃了进来，"我代表校党委来看望大家，都死绝了吗? 还有没有喘气儿的?"

"华哥来了！""这回好了，我们有希望了！"一屋子人都欣喜地迎上去。

华哥叫李伟华，是大三的前辈，本来我们想尊称他"伟哥"，他很敏感地谢绝了。华哥兴致好的时候，常给弟兄们讲述学校的野史秘闻及各届师长的风流韵事，号称我们东大的荷马。

"多长时间没下馆子啦，嘴里快淡出鸟来！"刘学从华哥兜里摸出盒烟，自己点上一支，扔给我一支。

"弟兄们都馋坏了，嗷嗷待哺啊，哥哥你看……"

华哥的脸色马上严肃起来，"我提一个问题，你们谁还有钱？唉？"

房间里顿时死一般地沉寂，我们都羞愧地低下头。半晌老疙瘩脖子一梗，"你们看我干啥，我就剩下300块钱——隔壁张宽要请客都借他了。"

"唔？这太不正常了！张宽让疯狗咬了？"华哥的瞳孔忽然收缩。

"正常——这小子高中的俩女生来了。张宽他瘦驴拉硬屎，说卖血也要搞好接待工作，把我的NIKE也穿走了，就是没说请我作陪，哪怕客气客气也……"

"靠，这么有价值的信息——就是视而不见！"华哥激动起来，"你们信息工程都教什么了，真是恨铁不成钢！人家不请，我们不会自己去吗，难道我们就这么傲慢吗?!"

弟兄们都是悟性很高的，当时就兴奋起来了，"华哥，您的意思是，我们找上门去，再装作不期而遇……"

"呵呵，换个文学点儿的说法，这就叫邂逅！"

哥儿几个冲出寝室，呼啸而下。沿途受惊的各个房间纷纷探出脑袋，"出什么大事儿啦？"

"没事儿，没事儿，9点的飞机，肯定能赶上航班！"大家乐滋滋地回答。

张宽没说在哪儿请客，这难不倒我们，我们当机立断分成两组，华哥、老大、刘学一组，我和赵赤峰、老疙瘩一组，出校门分东西两个方向严密排查。

20分钟后，我收到刘学报捷的短信，非常简洁，"托福居，5包房，菜硬，貌美！"

我们扑到托福居的包房，老大和刘学正帮着张宽点菜。张宽尽量表现得很惊喜，对应邀出席和硬要出席的客人致欢迎词。鼓掌时我斜眼看去，两位女生还真有几分姿色。

酒过三巡以后，弟兄们开始露出原形。"鱼，我所欲者也！"老大夹了一筷子干烧鲭鱼放在嘴里，果然碰上了那位文学女青年崇拜的目光。老疙瘩与另一位女青年很谈得来，两人从交换对三好街盗版软件的心得体会开始，顺便交换了彼此的电话、邮箱、QQ号……这俩小子光顾着自己撒欢儿，完全忽视了闷头灌酒的张宽，一张脸已经变成了酱茄子色儿。

华哥是善解人意的，吃过主食以后就张罗大家走，"不能再打扰了，你们老同学多聊聊，我们撤，我们撤！"

半个钟头以后，大家正坐在寝室里心满意足地剔牙，张宽跌跌撞撞地闯进门，明显是喝高了。张宽的眼光从我们的脸上一一掠过，每个人都感到了一丝寒意。

"我恨你们！"张宽从胸腔里迸出一声怒吼。华哥和我赶紧过来赔着笑打圆场，指着老大和老疙瘩，"过分啦，你们俩确实有点过分啦。"

"没一个好东西！"张宽转向老疙瘩，"钱，我会还你的，五百年后我连本带利都还你！我还不上，还有我儿子……"

老疙瘩大惊失色，此时张宽已经完全失控，盯上了华哥，"老不正经的，花花肠子最多……在自己地盘混不下去了，跑这里装什么大瓣儿蒜！"

华哥细皮嫩肉的老脸上难得地泛起一阵酡红，勉强自我解嘲，"冲动是魔鬼，冲动是魔鬼！"

张宽呜呜咽咽地哭开了，"我，我暗恋了整整三年哪，就是没有机会……"

"这里面你爱上哪个啦？"大家问。

"两个我都喜欢……"

见势不妙，我连忙递了一个眼色给华哥，"华哥，要不咱们出去遛遛？小弟有点事儿正想请教。"

在张宽不断的咒骂声中，华哥和我蹿出寝室，离开宿舍楼百米开外方才放缓了脚步。

校园里大雪覆盖，一片洁白。华哥和我默默无语，走过冶金馆，走过采矿馆。夜里小北风一刮还真挺冷，我忙把羽绒服的两个帽子翅系紧了。"有护翼耶，给你更多的保护！"华哥没话找话。

我满腹心事，没搭理他。两个人顺着自强路，默默地走到"东大红人"铜像底下。这里号称东大的 BBS，大理石底座光滑如镜，从建成之日起，就被涂满了民间创作的各色流言、抒情诗和污言秽语，学生处和校工多次联合清剿均无法将其扑灭。某天有位高人在此富有启发性地留下一段帖子："谁能告诉我，东大最性感的美妞是谁，最犯贱的傻狗又是谁？"后面是一溜跟帖，用各种笔迹给出了答案，而且名单还有无限延长的趋势。最下面是一行白粉笔字，"胡涂乱写——可耻！"

我在台阶上站定了，低着头，吐出一句话："华哥，我想我有可能是恋爱了。"

华哥眉头一皱，翻了我两眼，"美女？"

"也不算漂亮，不过，肯定不丑。"

"才女？"

"不是那种小精灵似的，看样子倒不笨。"

华哥盯着我，"王小旗，你确定自己是动了真格儿了？"

"这个，"我合计了一会儿，"反正在班里我第一次见到这女孩，就像挨了雷劈似的，心脏马上绞痛，胃也开始疼。

当时我就想，王小旗，你完蛋了，这就是你一直梦寐以求的终身伴侣啊。"

"还有，"我不好意思地压低声音，"我经常会梦见她，而且，梦还是有颜色的。"

"黄色？"华哥当即想到邪道上去了。

"不是不是，我是说我做其他梦都是黑白的，有她的梦却都是五彩缤纷的……"

"够了，"华哥面无表情地打断我，"你跟我来。"

两个人一前一后，走进逸夫楼最东边的阶梯教室。华哥指着后排一张桌子，"大一的时候我就用这张桌子。"

我定睛一看，桌子的右上角深深地刻了一个"早"字，笔画粗胖，倒像是华哥的真迹。我不禁肃然起敬，"您这是向鲁迅先生……"

"不！"华哥仿佛陷入沉思，"当初我也曾喜欢上一个女孩，犹犹豫豫地下手晚了，以致成了我终生的遗憾，我这是警示自己，泡妞也须趁早！"

"华哥！"我们的双手紧紧地握在了一起。

走出逸夫楼的时候，华哥回过头问我，"那女孩叫什么名字？"

"李蓝，李是李清照的李，蓝是蓝色生死恋的蓝！"

2 调研

老疙瘩很早就超越了人机对话的阶段，直接进入人机对骂的最高境界。凡是他觉得用 C# 语言跟电脑说不明白的时候，一连串儿恶毒的咒骂劈头盖脸就倾泻过去。

"你个熊蛋！娘西皮！妈拉个巴子！王八羔子！SHIT！怎么又是 BUG！"

有时候急眼了老疙瘩还动手，拳脚交加的，光键盘就摔零碎好几回，也成了耗材了。

刘学凑过去，"老疙瘩，积点口德吧，小心你那机子真有了智能，哪天漏电电死你！"计算机专业的臭毛病多，包括主机机箱总是特意裸露着，各色插板线头让人看着就头皮发麻。

我们这个寝室人员构成贼拉复杂，五兄弟闻道有先后，术业有专攻。老疙瘩学计算机科学与技术，赵赤峰学政治，刘学是法律，老大和我是新闻学。在我们寝室搞几天调研，回去就能写一篇《东大社会各阶级分析》……因为出了个新贵郭某——九州数码的总裁，加上老贵刘某某和东硬集团，东大学挨踢的都牛上了天，好像东大光只是他们的母校，对我们就是继母！

还有人编笑话刺激我们，说领导在大会上讲话，"这次活动全校师生都很努力，上至信息学院，下至文法学院……"，靠，下至都出来了，还"秋分"呢，身在理工院校不幸学的却是文法，这种矮了八辈儿的痛苦，外人很难理解。

东大有十几个学院，名字改来改去，其实都还是老瓤子。像材冶学院、机械工程学院，现在是过气了，好歹人家历史上曾红过。像工商管、外院，都和文法差不多德性，没有过去，更没有未来，现在就是东大的第三世界。说是发展中国家，可没人相信你还能有什么发展，我们自己都不信。

华哥在外语学院，他的专业就有点黑色幽默了——外贸俄语，基本上濒临灭绝。华哥这样解释他的选择，一是他外祖母的父亲可能是白俄贵族，他身上流着八分之一的俄罗斯血统。二是他多少有点大舌头，极其适合俄语的发音特点。

华哥真是义薄云天！这几日痔疮犯了，流了很多血，还不忘关心我的个人问题。华哥忍着剧痛，一拐一拐地领我到学生处大花名册上过筛子，终于查出来一个李蓝高中的同班同学。这小子是体育特招生，肌肉发达满脸粉刺，喝着我买的啤酒还一脸的不耐烦，"李蓝，有点印象，挺白净的，她父母可能都是搞艺术的。那姑娘挺老实，那时我们都没怎么注意她。"

据粉刺说，当时班里稍有姿色的女生都有主儿了，还有被外班拐跑的，像李蓝这样剩下的还真不多。

靠！这帮人都是什么眼光啊。

"没谈过恋爱，这就比较麻烦！"华哥帮我作分析，"少女情怀总是诗嘛，通常说少女情窦初开，潜意识里对未来男友总有一个预先设定的框框，如果遇到一个人恰好大部分能进到这个框里，那成功率就非常之高了。现在，李蓝没谈过恋爱，参考不出她喜欢的是哪种类型，要猛男还是要才子？要忧郁的还是要阳光的？没办法按方抓药了，不过搞浪漫点儿总不会出错吧。"

一边说着，华哥满腹狐疑地瞧了瞧我，"你小子不会也是这个这个初涉爱河吧？"

"什么话！"我斩钉截铁地驳回，"兄弟从前的情感生活，那还是颇为凌乱的！"

其实我是在吹牛。尽管我发育得还算早，曾偷偷喜欢过历任女同桌，可惜都是叶公好龙。高二的时候，眉来眼去大半年，才冒死给班上的文艺委员写了封情书，文中使用了大量排比和对仗。不料这小蹄子忒狠毒，竟给贴到学校的阅报栏里，还用红笔修改了错别字，对精彩段落作了批注。本来感觉她对我也有点儿意思，事实证明那完全是幻觉。

此事成为母校年度头条娱乐新闻，轰动一时。与之并列入选的是，某女和某男感情破裂，本来无可厚非。可某男万不该当众将某女手织的围巾退还，某女感觉受辱，在众女生的支持下将某男馈赠的一串风铃高悬于男厕所门上，并附简短文字说明。

这以后我一蹶不振，直到踏入东大，仍然保持着小男孩的纯真无邪。最初，我怕受经历丰富的同学歧视，后来发现东大有很多人仍然是一张白纸，尤其学理工的，开窍儿都晚。

赵赤峰比我还纯洁，说话都不带脏字。一次赵赤峰右手中指烫伤，校医用白纱布给缠上了。这位仁兄逢人便展示伤情，高高竖起中指，挨了 N 多臭骂了才算明白怎么回事。

还是华哥点拨我，要注意团结李蓝身边的女孩子，多少人搞对象的时候忽视了争取丈母娘小姨子，最后都追悔莫及。我划了个范围，把重点放在李蓝同寝室的姐妹上。

献媚是有学问的，在食堂排队碰上当然要躬身请姐妹们先，在超市结账碰上尽量顺手代付。要讲究巧妙、隐蔽，比如姐妹们做了个新发型，直接说真好看那就俗了，表示惊讶即可……马屁上没有手掌的痕迹，而我已拍过！

还要能脱口而出俏皮话，老子庄子海子樱桃小丸子都得熟悉。我注意把握的原则是：态度殷勤而不失身份，赞美真诚而适度夸张，展示才华而绝不卖弄。

反正只要李蓝不在场我就很放松，态度也从容了，思维也跳跃了，举止也潇洒了。只求姐妹们对我有一句半句好评能传到李蓝的耳朵里，为将来打下一个扎实的基础。

对身边的哥儿们，我表现得就比较赤裸裸，一般直接说"我们家李蓝以后多照顾点儿啊"，或者念叨"蓝妹这两天好像又瘦了"。我的打法是先把舆论造出去，就好像老虎在自己的领地周围撒上尿，对其他人的觊觎之心起到一个预防作用。

通过一段时间的努力，应该说收效不大，问题不少。李蓝好像还是毫无知觉，平时在班里既不多看我一眼也不少看我一眼。看来是信息传播通道出现了问题，没能送达有效受众，也就不可能有反馈。

哥儿们的反应倒正常，顶多说一句，"你神经病啊！"可怕的是，李蓝的姐妹看我的眼神有点不对了，尤其唐美，一双水汪汪的大眼睛总对我瞄来瞄去的，没准现在我提出约会她都能答应。看来我的表演是有点过了，赶紧得往回收。

华哥说，"王小旗，你现在的司马昭之心，是行人和过往车辆都知道了，就是当事人不知道！"

我咬着牙发狠，"走着瞧！将来，我有了儿子，名字一定叫王青。"

"为什么？"

"这都不懂？青出于蓝而胜于蓝嘛！"

3 佳作

人要是走运真是挡都挡不住。你快走两步，就追上运气了；你慢走两步，运气就追上你了；你走得不紧不慢吧，一扭头，运气正和你并肩而行！

活该兄弟我要露一下这张俊脸。那天的大课本来我是要逃的，赶上寝室停电，就想去教室散散心也好。进门后吓了一跳，系主任也在。老爷子正讲到新闻专业最要紧的就是笔杆子。"多读不如多写，学校就是要创造更多的实战机会，锻炼同学们的实际动笔能力。

"下面我们就开始新闻系的首届现场写作比赛，本次大赛东硬集团慷慨赞助了 5000 元人民币，就叫阿尔法杯，"老爷子有点得意，"呵呵，这次军事演习，事先我谁也没告诉!"

题目发下来了，《生活》和《东大，我要对您说》，两个任选其一。题目够老套的，但还是有很大的发挥空间。比较之下，前者显得没那么恶心，我开始认真构思，一扭头，老大在座位上显得很激动，呼哧呼哧直喘粗气。老大什么都好，就是名利心太重。

我先在草纸上大致勾画出提纲，我准备直接从网络时代给生活带来的巨变谈起，再倒叙对比今昔生活的变迁，最后引出对生活真谛的思考。等基本做到心中有数之后，正式开始在卷子上创作。

天有不测风云，我刚刚提笔写了一个遒劲有力的"网"字，小腹突感一阵绞痛，而且感觉还在继续向下延伸。坏了，肯定是昨天刘学搞的生黄瓜蘸酱吃多了，不应该啊，虽然没洗可我都在袖子上擦啦。我试图坚持完成作品，可身体实在不允许，有现场直播的可能。

短暂地权衡利弊之后，我果断地交了卷子，以刘翔的速度冲进男厕所，时间刚刚好，接下来的过程就很享受了。

下午回到寝室，老大显得踌躇满志，说他已经做好了获奖的心理准备，他选的题目当然是《东大，我要对您说》，"抒情很真挚、很深沉！"

10天之后，公布大赛结果，我，竟然荣获冠军，并获奖金1000元！

老大落选，破口大骂评委"有眼无珠，草菅人命"。等到卷子和评语一起公布出来，老大不吱声了，连我都傻了。评语说，"该文虽然只短短一个字，意蕴深远，思想深刻，精炼传神，视角独特，一个网字，既能表达出网络已成为一些青年人生活的全部，又可理解为面对复杂的现实、情感生活，犹如重重罗网，要自强不息，寻找出路……如此等等，几乎可以涵盖生活的每个层面！"

"高山流水，知音难觅啊！"我一时惊喜交集，转向老大，"看来你拍马屁的功夫还是不到家，马屁要拍好，不单需要激情，更需要技巧！"

几天来我都沉浸在喜悦中，下午，突然接到刘学短信，"青鸟酒吧，薄酒祝贺！"

都是自家兄弟，太客气了吧。我兴冲冲赶到南门外的青鸟酒吧，这两个字通常我们都读作青鸟（diǎo），招待贵宾才敢进这儿来。兄弟们早来了，赵赤峰是一小瓶科罗娜，其他每人一杯龙舌兰，这酒贼冲，号称墨西哥二锅头。

老大笑吟吟地拿过一个盒子，"拆开，拆开看看！"没想到还有惊喜，我打开盒子一看，是一双安踏的跑步鞋，尽管样子贼土，但我还刚好用得上。

"难得兄弟们费心了！"我心头一热，突然看到赵赤峰的眼光有点躲闪，顿时升起了一个不祥的预感。顺着赵赤峰的目光往下瞧，这几个损贼每人脚上都是一双安踏跑步鞋，崭新的！

"难道，莫非，你们竟然……"

刘学过来，大力拍了拍我的肩膀，"对，奖金已经发下来了，我们已经替你领了，哥儿几个跑了一中午给你选的礼物，我们顺便每人蹭了一双，这也是为了今后寝室集体活动可以统一着装，树立形象！"

"这群畜生啊！"我痛心疾首，太反常了，这回东大的办公效率怎么高起来了，"这钱来得容易吗？看上去就一个字，可背后有多少智力消耗你们懂吗？这钱我本来是要捐给失学儿童的，没想到叫你们这群土鳖给祸害了！"

刘学还不乐意了，"别学张宽那么小肚鸡肠啊，告诉你，这些酒可是兄弟们自己集资的。再说了，本来还给你剩了四百多呢，替你捐了不就完了！"

我倒！

不管怎么说，这次成功让我深受鼓舞，认定自己属于另类思维，创作上也应该另辟蹊径。

本次阶段考试，作文题目是写人状物叙事均可，限定800字以上。我一看时间反正也不够用了，当即故伎重演。

我写的是物，就是老疙瘩那台破收音机。我用50字描写了收音机的外观，接着就打开了收音机。

"里面发出一连串的咝咝、嗡嗡、吱吱、噼噼、啪啪声，然后是一阵地心岩浆涌动喷发的爆裂声，最后有了断续的男女莫辨的人声：

"……在巴格达……桥附近，日本籍男……人质……手持AK47……与穆斯林长老会商讨……绑架了……多名蒙面武装分子……日本国外交……晚召开新闻发布……录影带……要求……该组织……48小时内必须……处死人质！……斩首！……日本政……乐于见到……努力……劫持和爆炸……拒绝……人质安全释放……和其他解救措施……

"……收音机又坚持吱嘎一阵之后，再次归于死寂，人质的命运如何我们也就无从知晓了！"

这则新闻是我在课桌上的旧报纸里随机摘抄的，大量的标点符号被我用来充抵字数。时间紧迫，顾不上人质的死活和对原文造成的重大曲解。完稿后一数，不多不少818个字，大吉大利！

可能是慑于我一字千金的光环，这篇文章仍被作为范文之一在系里展示，稍觉遗憾的是老师不肯再写评语。

　　一眼看到李蓝和另一个女生正在展板前读我的文章，心跳立即加速，我两步凑过去，全身的血直往脑袋上涌，只意识到鼻子里嗅见一丝淡淡的，洗发水的清香。

　　李蓝向我转过头，"上一次那个网，还可以说你有些机智，这次就纯粹是投机取巧了！"

　　"对！对！"我头点得像鸡啄米，最起码李蓝开始关注我了，而且不能说她的话里面没有褒奖的意思。

　　走的时候，李蓝对我笑了一下。她笑的时候，鼻子先皱起来，然后笑容从嘴角开始，一点点一点点地漾开。

4 隐私

　　赵赤峰在寝室里一直落落寡合。

　　首先他并不是内蒙人，而是中国第四个直辖市重庆人，据说重庆从四川分出去的第二天，码头上就打出巨幅标语：欢迎四川人民到重庆来！赵赤峰及其家人一直认为，东北除了盛产酸菜和笑星，基本上还是不毛之地。我们班倒真有一个内蒙人叫巴图，他最打怵写家信。因为信封上"内蒙古自治区锡林郭勒盟东乌珠穆沁旗乌里雅斯泰镇哈音布日都淖尔草场……"光收信地址就好几行。

　　更主要的是，赵赤峰瞧不起东大。他高考成绩失常，是个北大"漏儿"。赵赤峰说记忆中自己并没有填东大政治系这个志愿，不知道是怎么到这来的。赵赤峰眼里，北大是梦中情人，完美无瑕高不可攀；东大则是情敌，俗不可耐死不足惜！

刘学不胜其烦，"一个破北大有什么了不起的，想当初第二次直奉大战，要是张老帅打得再好一点，占住北京城，张少帅早把北大合并成东大分校了！

"再说，一个真正的老爷儿们，不能总想着跟学校沾光，得让学校跟着我牛逼！"

刘学的话完全不切实际，赵赤峰还是忍不住絮絮叨叨的。直到刘学实在忍不下去，找把老虎钳子，嘎巴嘎巴，把赵赤峰的校徽掐头去尾，掰掉前面和后面的"学"字，就剩下"北大"扔给赵赤峰。

除了赵赤峰，我们几个能考上东大，那已经是祖坟上青烟滚滚了，我都没好意思说当初我爸摆了几桌的酒席。所以我们都像从监狱里放出来似的尽情狂欢，短期内是不可能再用功了。只有赵赤峰还保持着高考前的节奏，不仅不逃课，还上晚自习，还去图书馆！赵赤峰从内心应该说还是希望和我们搞好关系的，只是实在没法把我们当作同路人。

赵赤峰最看不上刘学。其实刘学真该改名叫刘不学，除了不看书，他根本就不上课，甚至拒绝参加各科考试。如果能在补考中腐蚀师长过了最好，过不了就挂着。刘学说他研究过东大的学籍管理办法，学生降级必须本人提出申请。

刘学说他憎恨法律，一看法律书都有生理反应，恶心，全身起红疙瘩。刘学有一套理论，经常说"法律就是一部翔实的人类罪恶史"，"中国只有一部法律，叫做办法"，"中国的法律很完备。唯独缺少一条，就是你需要的那条。等你要用的时候，法官就会告诉你，关于这一条，法律尚没有严格的规定"。

刘学念法律系的原因很简单，他父亲是东北一个市中法的院长，深盼子承父业，实则逼良为娼。其实刘学是个聪明绝顶的人，除了法律课本，几乎是天文地理、医卜星象样样精通，是个桃花岛黄药师一流的人物，后面还要详细说明。

有段时间，寝室里总有人暗中为难赵赤峰。除了他的参考书老丢，赵赤峰的U盘不知何故出现在杯子里，还倒上了半杯啤酒，见过酒里面泡人参枸杞的，没听说有泡U盘的啊。他的随身听也惨烈地摔在地上，碎成了八瓣儿。当时我们都怀疑刘学，赵赤峰深思之后，却很坚定地说，"刘学是特别无聊，特别混账，但这种鬼鬼祟祟的小人行径，他绝对干不出来！"

刘学听说了赵赤峰这番话，半天没言语。

那天周六，一大早赵赤峰就出去了，给他新买的自行车擦洗保养。黄昏时分，赵赤峰拐了拐了地回来了。赵赤峰脸色蜡黄，双目失神，浑身直哆嗦，看他的样子，天塌了！

"怎么了，如丧考妣的？"

赵赤峰看就我和刘学在屋子里，又哆嗦了半天，才说出话来，"王小旗，我身体可能出了大问题！"赵赤峰指指下体，"我这儿肿了！"

事关重大，我和刘学不敢开玩笑，赶紧关了门准备验伤。赵赤峰又扭捏了半天，才把裤子褪下，一看小便果然红肿得很厉害，肉皮儿都已经发亮了，看样子不大像外伤啊。

"说，是不是有不洁性行为啦！"刘学对赵赤峰倒有些刮目相看了。

"污蔑！"赵赤峰的气愤不像装出来的，"学业无成，我是不会考虑男女间的事情的！"

"屁，言情小说加上黄片儿。一个写意一个写实，正反两方面一启蒙，多好的娃娃也教坏了！"刘学这么说，其实也不太相信赵赤峰能去寻花问柳，"是不是出去洗澡传染上的？"

赵赤峰说不可能这么巧，大家都没了主意。刘学说，"要不找找电线杆子上的老军医？"我坚决反对，"都是江湖骗子，别这个病没治好再染上点别的什么！"最后决定晚上给电台打电话先咨询一下。

赵赤峰眼里含着泪，请求我们暂时为他保密。我和刘学眼圈也红了，"这都做不到，那还算人吗！"我们一商量，电话也不能在寝室里打，这事儿知道的人越少越好。

我们扶着赵赤峰，找了一个人少的网吧先让他歇着。好容易熬到了后半夜，三个人溜到一个楼拐角，我问赵赤峰，

"怎么样，挺得住吗？"赵赤峰说，"可能更严重了，下午的时候还不痛不痒的，现在一阵阵像针扎似的！"

这个时间段哪个台都是性保健专场，赵赤峰用我的手机打了十几次才打进直播间。专家根据患者自述判断，梅毒是可以排除了，但淋病和潜伏期疱疹都有点像！最后专家给了自己医院的电话和前往路线。可是看赵赤峰那个状态，能不能挺到明天早上很难说。

"靠，怎么把他给忘了！"刘学跳起来就给华哥打电话，华哥说他就在附近一个网吧，5分钟之内过来。

"还他妈发什么傻啊，赶紧送医大二院哪！"华哥问明情况，当机立断，"电台里那些大骗子还能信？老军医顶多骗你两个小钱儿，大骗子让你倾家荡产！"

此时赵赤峰已经完全垮掉了，我们仨把他背到医大二院急诊。要说那位值班大夫年纪轻轻，可真是位神医，扒拉扒拉，皱着眉头问，"这也不太像性病啊，倒很像某种腐蚀性的东西，比如说强酸、强碱造成的灼伤。"

"擦车油！"赵赤峰一跃而起，大喊大叫，"机械系的老乡给我一小瓶他说是擦枪油，这东西可能有弱腐蚀性。擦车中间我尿急，后来我又洗了手……"

"便前还是便后？"我们齐声问。"便后！"于是险情排除，神医给开了点外敷的药膏，总共不到三十块钱。到第二天上午，赵赤峰完全康复，重振雄风！

赵赤峰遭了一劫，可兄弟们的心贴得更近了，大家约定，"五年之内不得向新闻媒体披露此事。"

赵赤峰请我们仨吃饭的时候，刘学拿他逗闷子，"其实也没什么可怕的，不行就切了呗！你看人家司马迁，世界上少了一根生殖器，却多了一部皇皇巨著。还有郑和，出国像玩儿似的，新马泰人家花公款全去了！"

5 流血

我们寝室也养了两盆植物，样子有点像仙客来。一盆被命名为"中华民族"，另一盆叫"炎黄子孙"，寓意其多灾多难，自强不息。我们寝室的环境实在比大自然还要恶劣，要么暴晒15天，要么扔在角落里，半个月不见阳光。老疙瘩一高兴就狂浇水，刘学喊，"别灌啦，你没看它都吐了吗！"

寝室剩下的啤酒、火锅汤什么都往里倒，烟头更是随手一插，它俩儿居然没被毒死。一天老疙瘩惊呼，"这盆儿还开花了哎！"大家都围上去啧啧称奇，赵赤峰分析道，"也许植物遇到的自然环境越严酷，越会奋力开花结籽，延续后代！"大家表示认同，此屁有理。

我不禁联想起自己和李蓝的未来，一时春情萌动，神思荡漾。

刘学正在用老疙瘩的机器上网聊天，一边吃了糖似的眉飞色舞，"这个傻狗千千阙歌！我骗她说自己是刚来东大的德国留学生，小娘儿们深信不疑！"一边打下一行字，"对不起，已经约好汉语老师，我的。再见，明天！"

"太简单了，只要故意把语序打散，能倒装的全部倒装——摆平！嘿嘿，我是你忠实的汉斯……"

老大一脸肃然走了进来，"义务献血，各系都有名额的，兄弟们怎么想？"

这还用想吗？去年我和刘学在大街上看见有义务献血车，特别好奇，就都上去献了一回。适度抽血能促进血液更新，对身体反而有好处。我知道老大并不明白这个科学道理，他是笃信"一滴血，十滴精"的，尤其他还真有遗精的毛病，不免担心双管齐下，身体会受不了。然而我坚信老大最后一定会报名，因为他的官瘾极大，这么关键的时刻，这么好的表现机会，没理由不上的。

结果是全体兄弟都报了名。刘学、赵赤峰和老疙瘩因为人家系里的热血汉子有富余，三个人都被谢绝了，新闻系是一多半儿东亚病夫，我和老大双双入选。

晚上老大翻来覆去地烙饼，我安慰他，"200cc，还不到一口杯，没事儿。就说你那个廊桥梦遗，对心理的困扰远远大于对身体的损害！"

到采血站的一路上，老大不停地喝糖水，我都怀疑他这种注水血还有用吗？轮到我，干净利落，5 分钟解决问题。我默默祝愿，不知道将来谁的血管里流着我的血液，希望这位朋友健康快乐长命百岁。老大是被扶出来的，听说他几乎当场晕倒，只抽了 100cc 医生就说行了行了。

走出大门，心头一热，班里没献血的男生准备了"倒骑驴"接我们回去。才多远的道儿啊，太夸张了。忽听他们议论，班里指派了几个女生为我们准备补品，今后三天送饭到床头，这里面就有李蓝一个。"真是天可怜见！"我周身的热血虽然少了 200cc，还是立即沸腾起来，恨不得再去献它 500cc。

回到寝室，首先梳头刮脸，换套干净衣服，然后才躺在床上开始装虚弱。半个钟头以后，李蓝和唐美敲门进来了，手里是热气腾腾的红枣小米粥，还有鸡汤和煮鸡蛋，快赶上产妇套餐了。由于老大看上去极为严重，两个人都围上去做临终关怀。我心中暗恨，喝粥的速度只好放慢，偶尔闭一会儿眼睛，喘息两声。

两个女生顺手帮我们清理房间，李蓝把头发挽了起来，脸色带了些红润，阳光下她细细的手指仿佛是透明的。我在心中感叹，有人说女孩子害羞的时候最美，其实女孩子干活儿的时候才是最美丽的。

蓦然想起当初赵赤峰曾经提议过，我们寝室是不是也搞个文明公约什么的，却招致了野兽们的疯狂大笑。

"不许殴打亲生父母！"刘学首先提了一条。

"不得抢劫警察!"

"不得在全校集会上当众大小便!"

"不得……"

赵赤峰在完全崩溃之前,幽幽地说了句,"我看华哥寝室里有这么一条,未经全体成员许可,不得带女朋友参观、用餐、留宿。"

我们全体默然,因为大家此时都没有女朋友,便觉得这一条更加意味深长。大家都不出声,开始各自想各自的心事。

不管怎么说,李蓝今天活生生地就在我们寝室,她算我的什么呢?我浮想联翩,一时竟痴在那里。

"我们走了啊,晚上再来。朋友们,要扼住死神的喉咙,勇敢地活下去啊!"唐美就是没心没肺,笑嘻嘻地带着李蓝走了,把饭盆儿也带回去刷洗。

晚上刘学回来,说张宽也献了血,还吹嘘自己是 RH 阴型,一万个人里才有一个。他班女生送来了鲜奶,张宽很得意,背后说"姐妹们用乳汁哺育了他"。靠!要是那几个姑娘知道了,不把他胆汁都挤出来才怪。

一连三天,李蓝和唐美都来。李蓝很勤快很细心,可对我却丝毫不假辞色,连笑都没笑过几次,弄得我一颗心老是飘飘悠悠的。也许碍于老大和唐美两个傻狗,她不愿意表现出对我的关心。那她到底对我有没有好感呢,To be, or not to be? 有还是没有?难道这次来照顾我们,仅仅是班里指派那么简单，就没有别的小故事小用心啦？全班十个人献了血，轮到她去照顾其他八个驴蛋的概率更大，而这种情况并没有出现，又该作何解释？我找不出确定的答案。

一连三天关在屋子里，开始是装，现在我是真的身心交瘁了。回头看见一脸病容的老大，特别有过去端他两脚的冲动。

我正躺在床上出神，走廊里轰隆轰隆有人回来了，不一会儿就听见老疙瘩在隔壁张宽寝室里大吼，"王小旗，三缺一，别搁那儿装老太爷啦！"

我一跃而起，一边骂，"靠，叫魂儿啊，想孤独一会儿都抽不出时间来！"

6 帮会

第一次见识东大的社团，还真吓了一跳。当时也分不清是什么组织，都到大一来插杆大旗招兵买马。我们是小马过河，不知深浅，很虔诚地走过去，报名填表，问"不知道我是否符合你们的要求？"后来才知道只要四肢健全不吸毒的都被吸收了。

其中比较牛的有"先锋论坛"，是校团委出钱出枪的嫡系部队，经常接触上层领导，入党、提干的机会特别多。还有"张学良爱国促进会"，简称"爱促会"，常被误解为类似

"鹊桥会"的性质。记得当时我参加的是"军事爱好者协会"，我主要考虑东大的国防生集体加入该协会，未来如果和人发生了武力冲突，自己会多几个能打的朋友。

老大、赵赤峰和老疙瘩也都加入了什么鸟协会，成了有组织的人了。只有刘学自绝于人民，誓死不参加任何团体。刘学就这么个熊脾气，当初五舍没装宽带，他跑出去一宿一宿地打 CS，差点儿没被就地正法。到后来东大组织了首届 CS 精英对抗赛，刘学应该算是名将，可说什么就不肯参加。刘学说，"打 CS 的主要乐趣来自于偷偷摸摸，一旦合法就没有任何刺激了!"赵赤峰评价刘学，"永远是体制外、非主流的。"我和老大认为，刘学就是狗肉上不了席面。

刚开始加入社团很兴奋，见到内部同志就想对切口，"地振高岗，一派溪山千古秀。""门朝大海，三河合水万年流!"后来发现东大的社团比天地会差远了，像美国的民主党共和党，组织松散，来去自由，开会也没人点名。社团活动参加了几次，印象中就是搬搬桌子、抬抬宣传板、发发传单，很快就索然无味。有些社团因为没怎么活动，干脆被团委注销了。

等到我们终于熬成了黑山老妖，遥想当年社团头头的风光，也想过过一呼百应的瘾。老大激昂地动员我们，"弟兄们，把抬板子当成荣誉的时代一去不复返了! 现在我们要做的，是选择什么样的人把板子传下去!"

老大到团委注册了"星星文学社",把海报贴出去,印了好几百张申请表,连徽章都设计好了。回到寝室里,就开始做美女如云,纷至沓来的梦。

等了很久不见文学女青年报名,老大放下架子出去查看,远远看见有人围着海报哄笑议论,顿觉不妙。原来"星星社"被人加了两个反犬旁,变成了"猩猩社",灵长目的文学社谁肯参加?后来有人举报,是老疙瘩做的重大修改!

老疙瘩一时手欠,换来了极为惨痛的代价。首先是老大找他谈话,两人在操场上交心直到次日拂晓,顺便看看日出。老疙瘩痛哭流涕,表白自己只是年少轻狂,对老大绝没有任何想法,再不干这种亲者痛仇者快的事了。老疙瘩还被迫主动充任托儿,守在海报前,一旦有人经过就放声嚎叫,"星星社,太好了,就盼着它呢!算我一个!算我一个!"

好歹忽悠来四五个报名的,老大在后面加了个零上报团委,又乘势推出社刊《星星索》,并亲自撰写了热情洋溢的发刊词,登在第一期上。由于先天不足,《星星索》办了三期终于无法再支撑。老大有始有终,就在第三期上发表了停刊词,为《星星索》画上了圆满的句号。

赵赤峰也成立了一个组织,以相互砥砺,钻研马克思主义哲学思想为宗旨。一开始定名为"知行社",取自东大校训"知行合一",拳拳献媚之情,昭然若揭。我看着生气,跑去吓唬赵赤峰,"这分明在效仿蒋介石搞那个励行社嘛,像是个法西斯特务组织嘛!"

赵赤峰大惊失色,立即召集社员开会,研究之后更名为"求是社",实事求是永远不会错。此时谁也没想到,后来赵赤峰竟真的与《求是》杂志,就是原来的《红旗》发生了关系,缘分哪!

赵赤峰的"求是社"成员不多,但是很稳定。不声不响,几年来一直坚持活动,主要是学习讨论马克思主义经典原著,撰写读书笔记。赵赤峰告诉我,当初自己进政治系是很无奈的,一直瞧不起马哲,以为很虚,"现在看来,真正狗屁的是自己!不要受浅薄的教条化的八股文章的影响,学习原著,直接和思想巨人对话,你会很震撼!"

赵赤峰还建议,谈恋爱之前,至少要通读一遍恩格斯的《家庭、私有制和国家的起源》。

原来嘲笑赵赤峰的人,慢慢都转为肃然起敬。赵赤峰方面大耳,确实有点政治家的风度,这种长相在唐朝就很吃香,可以优先选派出去做官。有时候我就忍不住想,还真得有赵赤峰这样的精英,要是都像刘学似的,那将来社会还不得乱套啊。

刘学也有点不甘寂寞了,找我商量,"我们是不是也张罗一个体育爱好者联合会?"

我很诧异,"真没发现你擅长什么体育项目?"

刘学说,"靠!不知道麻将、扑克那都算体育运动吗?

我们其实也都是运动员，怎能妄自菲薄呢？"

我吐了刘学一脸。

7 强敌

我蹲在图书馆台阶上看夜景。一阵冷风吹过，呛得我吭吭地直咳嗽。

"哎，抽根烟压压咳嗽！"刘学凑过来，递给我一根三塔，点上，"王小旗你是不是有心事？"

连傻子都能看出来，我都快狂躁而死了。过去我总在想象这样一幅画面：李蓝那里放着一本我的记分簿，我一点一点一分一分地积攒我的分数，耐心又甜蜜，直到我终于修满了学分，抱得美人归……一切都自然而然，宛如小溪流水。

我压根儿就没想过，同时有别人也在选修李蓝这门课，而且成绩好得可以免考，直到有一天看见杨城站在李蓝身边。

杨城是软件学院的，高高大大，穿得很随便，笑得很轻松。杨城是李蓝的青岛同乡，第一次来找李蓝还是向我问的路！那天我正蹲在九舍门口吃冰棍，他很客气地问我，"新闻系的李蓝在哪个寝室？"我赶紧扔了直流汤儿的冰棍，往楼上指，"401！401！"

杨城身上有股贵族气质。他穿得总是很干净，像刚剥了壳的煮鸡蛋。他对人总是很有礼貌，但感觉就像主人善待下人，下人只有更恭敬，不然就是不知好歹了。杨城每次来找李蓝，如果还没有下课，他就在一旁静静地等，绝不打扰别人。

一天，杨城给李蓝带了一大包东西，有吃的有用的，真是犯贱！李蓝竟然又给了杨城更大的一包东西，犯傻啊！两个人有说有笑，跟我走了个迎面。我只觉得眼前发黑，嗓子眼里一阵阵地发甜，急急拐向右边的岔路，躲开那两张笑脸。

"什么东西！细皮嫩肉的，看着就像牛郎！"我卑鄙地施放暗箭。

"其实杨城很像木村拓哉，工藤静香的老公，最近王家卫请他演《2046》。"老疙瘩给了我一个超链接。

"银样镴枪头，不会有什么内涵！"

"杨城去年就过了思科网络认证，年年一等奖学金。"老疙瘩真是很烦人。

"学习成绩好就牛逼呀，一个人的综合实力……"

"杨城是他们足球队的右边锋，网球打得也好。他打球手腕是平的，不像我们一撅一撅的……"

"杨城是你亲爹！"我心里拔凉拔凉的，杨城就是这么个人，讨女生的喜欢男生对他也没有恶感。

"天哪！既生小旗，何生杨驴！"我满腔悲愤，嘶声狂叫。

"你们两个没有可比性。"老疙瘩平静地说。

我上火了，一夜之间嘴里生了两个大溃疡，舌头碰到了就钻心地疼，越疼越忍不住想舔。后来想想自己也好笑，我算什么呀？连对李蓝表白都没来得及，还没注册上呢，吃的哪门子干醋！弟兄们看我的眼神都怪怪的，那天我发邪火，一拳把老疙瘩的 MP3 砸得粉碎。老疙瘩一愣，随即赶紧说，"没事，没事，正想换呢，没有歌词显示！"看着老疙瘩柔和的目光，我知道自己已经是恋爱失败转为变态了。

我一夜没睡。第二天先上三好街，给老疙瘩买个新 MP3，带歌词显示的。然后我把四级的书一本本全找出来，嘎嘎新的，跟着赵赤峰直奔自习室。那段时间，我的学习劲头真叫一个凶狠啊。四级单词背完一页刷地撕下来，塞嘴里嚼巴嚼巴就咽下去了，再背完一页刷地又撕下来，塞嘴里继续嚼。做完一套题也不歇着，怔怔地盯着赵赤峰发愣。

赵赤峰直打冷战，"王小旗，别这么看我！这些天我们形影不离，大家都有议论了！"

晚上回寝室，要么继续看书，要么给家里打电话，爸爸妈妈，爷爷奶奶全关心到了。我妈带着哭音儿说"小旗长大了！"估计那些天，她做梦都能笑出声来。我爸什么也没说，生活费多给我寄了 500 块！

"王小旗已经完成了良性的疼痛转移。"赵赤峰欣喜地说。

四级考试那天我的感觉贼好，头一次胸有成竹地坐在考场里。一边做题一边嘿嘿狞笑，出了考场那股凌厉的杀气还没发泄完呢。公布成绩我得了 71 分，赵赤峰也不过才 80 分！

要不是老疙瘩说要揭穿一个惊天秘密，估计现在我早过六级了。那天老疙瘩拉着我跑到九舍门前，杨城和李蓝还有一个漂亮女孩正站在那里聊天，不知道杨城讲了个什么有趣的事，李蓝抿着嘴笑，那个女孩笑得花枝乱颤。

"看见那个女孩没？她是杨城的女朋友！"老疙瘩告诉我，"听唐美说，杨城的女朋友在辽大，她和李蓝是高中同班，两个人常托杨城捎东西……"

"般配呀，般配！"我就知道傻笑了，不住嘴地称颂那对金童玉女，一边心里暗骂唐美，"有屁不早放，非在肚里憋着！"

杨城等于是给我提了个醒儿，他不是横刀夺爱，可也许别人正磨刀霍霍。我决心加快进度，是金子早晚要发光，是疖子早晚要出头，是死是活豁出去了。

回过头来再看这段日子，我立即开始心疼自己，"可怜的王小旗啊，无缘无故地，你遭了多大罪啊，可得好好歇歇啦！"

赵赤峰犯傻，还约我去自习室。我抛给他一个水汪汪的媚眼，"峰哥！我的人不能跟你走,可我的心早就是你的了！"

8 神仙

寝室里一片死寂，弟兄们都睡过去了，只有我还瞪着天花板发呆。一轮圆月爬上窗口，仿佛一个胖胖的好色之徒，在窥探姑娘的闺房。

"嘿嘿!"老大在梦中发出两声干笑,三更半夜,瘆得我汗毛直竖。

老大这些天不太正常。自从结束了第三期《星星索》的绝唱,老大一直赋闲,沉浸在感伤失意当中。他整天恹恹的,茶饭不思,人也消瘦了。最近不知怎么攀上一个老乡,竟是官拜院学生会主席的牛人,老大变得很亢奋,三天两头往老乡那儿跑,回来以后就神秘兮兮的。

大伙儿本来不愿意打听,老大是狗肚子装不了二两酥油,自己又一点点儿往外抖搂,大概意思,是老乡给他许什么愿了。一次从老乡那里谈话回来,老大的脸上竟然还泛出了潮红,好像少女思春,让大家感慨不已。刘学一声长叹,"西方人说权力是毒药,我看更像春药!"

因为晚上睡不着,早上当然起不来。快到中午的时候,我被尿憋醒了。刘学正光着膀子到处找袜子,迷迷糊糊看见老大也没去上课,正坐在床上摆弄扑克牌,不过那纸牌特别大,一张张像明信片似的。我俩儿凑过去一看,差点没气吐血,什么扑克牌啊,不知道老大从哪儿弄来的一整套塔罗牌,正满脸虔诚地占卜命运呢。

老大盘着腿,把22张花里胡哨的纸牌在面前摆成五角星,忽而面露喜色,忽而怔怔地出神,一会儿又咬牙切齿,"国王的对应星象是金牛座,是决定运程的主要因素,命运之轮恰好在逆位置上，表明前途不会一帆风顺，肯定要有波折，星和月的位置就很关键了，隐者也很重要……"

老大嘴里念念有词，还能紧密联系现实，把东大的具体人事与星象一一对应起来。匡扶他事业发展的"太阳神"无疑就是那位老乡，神秘莫测的"倒吊男"，他也已想到了。至于最阴险的"祭司"，总在暗中破坏他的前程，老大确信是本系的一名胖女生。

老大脸上妖气渐渐弥漫，搞得我都快疯了。走出五舍，我仍然难以置信，"老大真够恶心的，小女孩拿来解闷的东西他也信。"

"愚昧！"刘学摇头，"他进不进学生会，摆纸牌能看出来？太阳神月亮神哪有工夫管他的破事儿！"

"就是，它们能了解中国国情吗？还不如拜拜关帝爷求求黄大仙……"

"靠，倒提醒我了，"刘学忽然停下脚步，"你听说了吗，咱学校附近出了一位大仙，卦算得贼准，外地人都慕名来找他……"

我听说了。据说法律系有个女生手机丢了，就是大仙帮着找回来的。还听说采矿系有个农村小伙，家里养了几头肥猪大仙都给算出来了。我和刘学一商量，午饭糊弄吃一口，下午赶紧找大仙去。

大仙住在南湖小区。我和刘学七拐八拐，进了一户人家。

一看大仙的家没什么装饰，干干净净，清清爽爽，屋里摆的都是花草，我先就有了几分好感。大仙在里面一间小屋坐着，并不出来抛头露面，有个小男孩是大仙的助手。

客厅里已经有几个等着算卦的，主动告诉我们，"想算什么写在白纸上递进去，自己的出生年月日还有时辰一定要写准确。每人只能问一件事，卦金210元人民币。"

怎么还有整儿有零儿呢，我觉得处处都透着神秘。我当然要算姻缘，恭恭敬敬写在白纸上。想了想，又把李蓝的生日写上，在后面注了个"女"字，出生的具体时辰不知道，学生处的登记本上没有。

交了钱又等了快一个小时。等到小男孩出来，递给我一个牛皮纸信封，我的手都开始哆嗦了。打开一看，工工整整的小楷写了大半页纸，还是毛笔写的。

纸上说，我是金命，属于"海底金"，禀性聪慧，体弱多病，多思善感。我的命格也很完满，没有什么煞星冲撞，而且红鸾星将动未动，已然势不可挡，预示着虽然好事多磨，但必将成就姻缘。

那个女子是水命，"松涧水"，金能生水，何况两个人的干支配合极好，真是天作之合。但"松涧水"性本柔弱，质实高洁，所以凡事应由我主导，却又不能急于求成。循序渐进，必获成功。总的结论是，姻缘美满，生活幸福！

最后还附了一首诗，"君自故乡来，应知故乡事，来日绮窗前，寒梅著花未？"

虽然这首诗很费解，但我还是深受鼓舞。狂喜之下心中还留下一点点隐忧，李蓝出生的时辰没有，对结果不会影响太大吧？

刘学已经等了很久，但他还是乐颠颠地并不着急，偶尔还向我飞个眼儿。

又过了一个多钟头，天都快黑了，信封终于送来了。抽出来一看，密密麻麻好几页纸。刘学看到纸上的内容，立刻眼睛发直，张着大嘴说不出话来。

"你到底问什么了？"我赶紧凑过去。

刘学瞪着我，一字一句地说，"我问大仙，台海局势将会如何发展！"

靠，我差点晕过去，"刘学，亏你想得出来，你这不是调戏大仙吗？"

我从刘学手里抢过那几张纸，看见第一页大标题写着"台海无战事！"仍然是工整的毛笔楷书，后面还有几个部分，有"台海两岸军力对比"，其中提到台湾海军"宙斯盾"巡洋舰。还有"两岸经济指标对比"、"国际地缘政治分析"、"岛内政治力量博弈"……

"停！停！"我忽然想起来了，大喊"这不是搜狐上那篇文章吗？从《军事天地》转载的，怪不得看着眼熟！"

"大仙怎么还上网啊？"我一时目瞪口呆，看着同样傻了的刘学，突然捧腹狂笑，"刘学，怎么样，本来想调戏大仙，倒让大仙给调戏了吧……"

刘学呼哧呼哧直喘粗气，冲我翻翻白眼，"你呢？算得准吗？"

我一下子就蔫茄子了，我要再相信那不就傻透腔了吗！想想掏出去的210块钱，靠，我们都让大仙给调戏了！

"走，到消协告他去"刘学怒火直往上冲。

"算了吧，你还嫌人丢得不够啊？"其实我心里对大仙一点也恨不起来。

猛然间两个人都想起一件事来，同时脱口而出，"回去不能说！"

两个人对视一眼，露出奸笑，"让那群傻狗也来上一当……"

9 面包

在寝室里，我对老大说，"要不咱俩请李蓝——还有唐美吃顿饭吧，毕竟前一段照顾我们那么长时间。"

老大翻翻眼皮，"有那个必要吗？都是同学！"

我气得转身就走。老大在后面喊，"要不你自己请吧，我可以抽空儿出席……"

　　我溜达了几圈儿，决定去自习室看看。没想到李蓝真在那里，坐在后排写马哲作业。自习室的人不是很多，我一咬牙，走了过去。

　　我轻手轻脚地坐下，李蓝抬起头，我赶紧说，"李蓝，非常感谢前些日子对我们的照顾，早就想请你和唐美吃顿饭……"

　　李蓝笑了一下，"不用了，都挺忙的。"

　　我说，"要请，要请，不请哪行？"

　　李蓝说，"哪天再说吧，唐美最近也没空儿。"

　　李蓝低下头看着课本，她的脖颈弯曲成一个很美的角度，有一缕头发滑落下来。

　　我的心脏又开始哆嗦，眼前一阵眩晕。忙问，"写马哲作业哪？"

　　"嗯。"

　　"写完了吗？"

　　"看样子写不完了，太多。"

　　我想了想又说，"你看同学这么长时间了，都没怎么说过话儿，真应该互相多了解了解，你是青岛人吧？"

　　"嗯。"

　　"那你们高中肯定是重点吧？"

　　"嗯。"

　　"你们分文理班了吧？"

　　"嗯。"

不知道怎么的，后来就变成我一个人在说。我讲了自己童年时的很多糗事儿，讲了小学里总欺负我的同桌，回忆了中学里最铁的哥们儿，还有折磨我最狠的高一化学老师……不知不觉，我把高二时和文艺委员的尴尬往事也讲了出来。

李蓝默默地听着，一双大眼睛忽闪忽闪地看着我。我讲得很累，嗓子很干，头也开始疼，嘴里一阵阵发苦，但我不敢停下来，我害怕一旦停下来，自己就再也没有勇气张开嘴了。

天渐渐黑下去，自习室里的人都走光了，我的心也在渐渐地下沉。

李蓝开始收拾书本。

离开前我问李蓝，"一会儿你准备干什么去啊？"

"我想去打开水。"

"那我陪你去吧？"

"嗯。"

终于我听到了一声像蚊子般细小的回答。一点思想准备都没有啊，我不敢相信自己的耳朵，幸福的喜悦犹如斟到杯子里的啤酒，瞬间流遍全身。

提着暖壶去水房的路上，我仿佛是走在云端里。一路上我们的话很少，我实在是太累了。

从此我每天都要陪李蓝去打开水，经常和李蓝一起去自习室，但总是选择人很少的时候。我基本上不逃课了，尽管各位老师还是很烦人，我从不和李蓝坐在一起，偶尔听见她咳嗽一声心里就踏实了。

寝室里的兄弟们问我，"行啊，拿下了？"

我含笑摇头，"哪有的事儿。"

我不想告诉他们，从小我就相信，坏事一讲出来准灵，好事一说出来有时候就没有了。我只对华哥讲讲心里话。

华哥要毕业了。

几个月前，大四的学生就进进出出地张罗找工作，吃散伙饭，校门外常看见一群人抱在一起哭哭笑笑。说实话，我好像没什么感觉，直到意识到华哥也要离开东大了，心里才猛地刺痛了一下。

华哥说，"兄弟，哥哥要走了，你自己保重吧。"

哥儿几个要和华哥喝告别酒，可是外院的告别活动安排得很满，直到十几天后，大家才终于能坐到一块儿。

刘学拿着杯子，凶狠地冲着老大嚷，"倒啊，倒啊！你前列腺发炎哪，一滴答一滴答的！"

华哥一个人喝啤酒。一仰脖，接着喉结咕噜一声，一杯酒就算灌下去了。华哥喝酒的样子，好像要冲掉什么东西似的。

华哥告诉我们，他联系好工作了，去塔吉克给一个外贸公司当翻译，一个月 300 美金，包吃包住。

我们说华哥你今后美元卢布，金票大大的。华哥又灌下一杯酒，呼地吐出一口气，"刚入学的那年，我去五爱市场

买蚊帐，碰见一个抱小孩的俄罗斯妇女也在挤公汽儿。那个
俄罗斯女人真漂亮，那么白，那么高贵。

"那小孩也漂亮，蓝眼睛，跟画儿似的。车上有个人嚼口
香糖，手里还拿一块儿逗那孩子。孩子伸手要，他又不给，
全车的人跟着起哄，轰笑。我操他妈，才两毛钱一块儿的
'大大'！那个俄罗斯女人一定很难过，想拦着孩子又舍不得，
她只好把脸朝向车窗外，装作没看见。

"可我看见了，那女人都哭了！要不是那个王八蛋把口香
糖给孩子了，我都想上去揍他！"

华哥说，"从那时候起我就知道，我学的这个专业，在
经济上可能没什么前途了。"

大家一时都闷闷的，想不起什么话说。又喝了一会儿，
先是赵赤峰和老大跑出去吐了，接着刘学也出去吐了，老疙
瘩酒量好，眼睛也红得吓人。他跑到包房角落里，自己攥着
白酒瓶子，倒一口，喝下去，又倒一口。

我拉着华哥的手，"哥，最重要的，给我们带一个喀秋
莎回来！"

华哥晃晃大脑袋，咧开嘴，"嘿嘿！"

大约一年多以后，华哥把电话打到寝室里。"都活着呢
吧？我在塔吉克，一切都傻好的！"

一点儿都听不出来是国际长途，声音清晰得像在隔壁。

兄弟们都扑过来抢话筒，就听华哥在说，"我找到女朋友了，不过不叫喀秋莎，我给她起了个中文名字——"

"——叫裂巴！"

寝室里轰的一声笑翻了，又听见一个女声用不太熟练的中国话说，"兄弟们，你们好！我是裂巴——"

这时所有人都笑得喘不上气儿了，话筒里的女声在继续。"我喜欢这个名字！我对他很重要，就像面包一样……"

10 大 鸟

老大现在已经算学生会的人了——整个宿舍楼的卫生检查寝室纪律安全防火日常管理一大摊子事儿都归他管。从理论上讲东大是宿舍楼的产权人，老大就好像代表业主的物业公司，我们是交了租金的房客，属于服务对象。只不过这里的房东和物业都特别牛逼，动不动就对房客罚款、处分。老大招募了几个手下，但基本上事必躬亲，经常忙得吃不上饭啃两个凉包子。

尽管劳碌了一点儿，老大精神上很充实。老大对我们几个透露过，目前从事这种基层工作是暂时性的，下一步对他的使用领导上已有考虑，基本锁定在院学生会宣传部长一职。

之后还有什么远大目标，老大始终讳莫如深，但偶然翻看老大的工作日记，扉页上赫然写着两句，"他时若遂凌云志，敢笑黄巢不丈夫!"隐约可见老大的政治抱负。

那时候学校里正流行一部 DV 叫《完美动物》，是沈阳航院几个大学生自己拍的。里面有个叫"李哥"的人物，特别能装逼，当个管寝室的小官儿，整天对低年级学弟作威作福。我们都说这个狗日的"李哥"真应该请老大来演，老大很不以为然，他说，"管寝室的工作是挺得罪人，但是干好了，也能交人……"

老大潜在的竞争对手，就是塔罗牌里那个女"祭司"也渐渐浮出水面。该女生也是新闻系的，身材粗壮，脸色惨白，还留个披肩发，从正面看像贞子，从背后看像霍利菲尔德。就这模样儿说话还娇滴滴地发嗲，有一次演讲,她在上面说,"其实我并不总是那么坚强，我也多愁善感，我也小鸟依人……"

"大鸟! 大鸟!"底下男生嗷嗷地起哄，这身材还小鸟呢，都够座山雕级别了，此后我们就管她叫大鸟了。

大鸟最烦人的是她那得瑟劲儿，仗着当上了年级会的头目，什么都指手画脚，什么都懂，"同学，你应该这样……""同学，你不能那样……"官架子可足了。大鸟最经典的动作是小臂猛然内曲，举起拳头，"嗯! 让我们加油! 嗯! 我们一定行的!"嗯嗯的特别用力，好像大便干燥。

大鸟在领导面前的笑容极为灿烂，听院长助理训话的时候不但仰着脸，还用双手托着腮帮子，这么做作的造型也摆得出来。

"不能小觑了大鸟，老大未必是她对手。"刘学作为旁观者分析，"老大是舍出去这张脸了，人家大鸟根本就不知道害臊……"

事实证明了刘学的判断。在第一个回合的较量中，老大就落了下风。

文法学院举办书法美术摄影大赛，由于是在学生会竞选前的敏感时期，大鸟和老大同时意识到这是个机会，一场没有硝烟的战斗已经提前打响。

老大对宿舍楼也开始人性化管理了。几个低年级寝室，就在眼皮底下哗啦哗啦打麻将，老大进去了却满脸笑容，"别搞太晚啊，注意身体！"临走的时候顺便问了一句，"你们的那个美能达相机，能借我玩几天吗？"

几天下来，老大谋杀了不少菲林，拍了雪后的宁恩承图书馆一角，拍了晨读的女生，还撅着屁股拍下路旁一朵干枯的刺梅花。

东大各学院教工拔河比赛，大鸟和老大都跑去捕捉动态镜头。老大拿着相机左比划右比划，为了找个好角度干脆趴地上了，最后终于完成一幅佳作，取名《点与线》。大鸟显得胸有成竹，拿个傻瓜相机，对着一把手校长拍几张就扬长而去。

我和刘学感觉有点不对劲儿，提醒老大，"可别犯方向性错误啊，摄影器材构图啊都很主要，不过更重要的恐怕还是题材……"此时比赛已经结束，说什么都来不及了。

大鸟只交上去一张照片，是校长含着哨子，挥动小旗的巨幅特写，取名《一声令下》！大鸟毫无悬念地获得摄影类一等奖，老大交上去一厚摞子作品，连个优秀奖都没捞着，可惜柯达400的胶卷了。

我和老疙瘩合作夺得了三等奖，作品名字叫《父亲的碗里有了肉》！

我们真没费多大劲儿，从网上荡下来一幅罗中立的油画《父亲》，从图库里扫一幅热气腾腾的红烧肉，放到父亲碗里。再把父亲的嘴角修改一下，让它咧开后向上翘，给父亲的脸上加点颜色，看上去红光满面的。最后找十多块钱一张的好相纸，用彩色激光机打印出来就OK了。刘学看过以后说，"父亲喝了不少假酒啊，看这脸红的！"

参赛作品中也有不少搞笑图片，但没一个能做到这个份儿上。首先，作品内容是歌颂农村改革开放成就喜人，属于主旋律。其次作品形式比较独特，老评委要表现出自己有新思维，年轻评委们又不至于太恶心……

我跟老疙瘩弹冠相庆，老大假惺惺地过来表示祝贺，那股酸不拉唧的味儿盖都盖不住，"这次大赛整体水平一般，组织也混乱，鱼龙混杂的……"

老大还硬硬地扔出一句，"瞎咋唬没用，其实学生会干部名单早就内定了!"

果然不久发下来一纸院学生会干部竞聘办法,说本次只是部分空缺人员调整,就不搞施政演说全民公决了,由院团委考查后直接任命。

《办法》规定了几个岗位的申报资格,其中宣传部长一职,要求"担任过学生会基层干部,有主编刊物的经历……"太明显了,就是为老大量身设计的。

老大美得屁股上都笑出来两个酒窝儿,"机会总是青睐那些有准备的人……"

过几天新任干部名单公布出来,谁也没想到,大鸟当上了宣传部长!副部长是个很陌生的名字,老大忙活半天,就混了个宣传部干事。

老大回到寝室,脸色铁青,哆哆嗦嗦朝刘学要烟,抽了几口又跑出去找他的老乡。

晚上老大回来的时候已经醉成一摊烂泥,嘴里骂骂咧咧的,"去他妈的!小学时……编过班报也算哪?……这是出卖……背叛!……老子不干了!猪八戒摔耙子——我不伺候了我……"

我们听过就拉倒,谁也没往心里去。果然第二天就见老大夹着一卷儿图画纸,屁颠屁颠给人家出板报去了。

11 姐妹

几乎在所有人的眼中，我和李蓝已经是一对情侣了，可我心里总觉得不太踏实。

除了一起打开水，一起上自习，李蓝也悄悄和我看过几场电影，上过街。每次我要给她买点什么，比如说买条牛仔裤啦，李蓝总说，"不用了，我还有呢。"我知道她有，可这不是我买的吗，不是更有意义吗？

李蓝顶多让我给她买个冰激凌，站在路边小口小口地咬着。

李蓝最喜欢和我一起在自习室看书，其实她并没有什么远大理想，学习成绩也不特别好，从没听说她将来准备要考研什么的。她就是喜欢坐在教室里看书。

第一次我轻轻地拉起她的手，李蓝皱了皱眉，我赶紧松开了。第十次我拉起李蓝的手，她没说什么。我牵着她的手，在月光下的校园里走了一圈儿又一圈儿，在心里我长长地叹了口气。

人和人真是没法比。唐美也有了男朋友，管理学院的一个上海男生。才认识几天哪，走路的时候就把爪子放到唐美腰上，那里离屁股也就是一步之遥了。

那天晚上我和李蓝例行散步,走到机电馆对面的小花园,远远看见长凳上两个黑影抱在一起。李蓝拉着我正要绕开,忽然听到一阵咯咯的娇笑,腻得让人心神摇荡,那不是唐美吗!

夜风里断断续续地传来,"……你把人家……都弄松了,给我系上!"也不知道那小子把唐美的什么弄松了,我感觉脸上一阵阵发烫。

李蓝的脸涨得像红布似的,咬着牙轻轻说了一句,"他们俩不会有好结果的……"

不幸被李蓝言中,两个人很快就分手了。看样子是上海男生先提出来的,唐美趴在床上哭了一天,眼睛都哭肿了。擦干泪水后,唐美说自己要考研。

唐美每次遇到伤心事儿,第一反应就是要准备考研,已经有好几回了。每次的过程都很雷同,先出去买一大堆复习资料,在自习室发奋一下午之后拿回寝室,在桌子旁刻苦几个小时后又拿到床上。因为天冷,唐美钻到被窝里学习,把书摆到枕头边,两只手都放进被里,歪着脖子看书,等需要翻页的时候再把手拿出来!任何人以这个姿势学习都不可能坚持一个小时以上,所以唐美总是入睡很快。

一般不超过三天,唐美就会想通了,把复习资料全部送给同学,然后又欢天喜地地投入到生活中去。

唐美看脸蛋儿至少可以打 80 分,就是稍稍丰腴了一些。因此唐美从一入学就开始厉行减肥,已经成功地由 55 公斤减至 65 公斤！

我和李蓝能够顺利开始唐美是有贡献的，她在寝室里老夸我。我一直对唐美怀有感恩的心理。

李蓝寝室的二姐特别讲卫生爱清洁，每天一回来就吭吭地洗衣服。哪件衣服不想要了，也必须先洗得干干净净——然后再扔到垃圾箱里。她身上还老带着股消毒水味儿，最夸张的是，大家正好好地看电视呢，她抓起抹布就冲过去，一遍一遍地擦荧光屏，说发现上面有灰尘她忍受不了。

曾经有一份爱情摆在二姐面前她没有珍惜。那个男生约她在东大南角门见面，"就在修车摊和垃圾站中间……"二姐哭了一夜，终于没有去赴约，"看看他选的那地方，看看他那品位……"

最奇特的是二姐的洁癖只限定在某些方面，有次她在食堂吃焦熘肉段，我就坐在她旁边。突然二姐发现一块肉段上面缠着根头发，我心里暗叫：可惜！以为二姐这回肯定是连盆儿都得扔了。想不到二姐小心翼翼地用手指把头发扯出去，又把肉段放回嘴里细细回味，末了还不忘吮吮手指头！

四姐正好和二姐相反，吃得很清淡，一个苹果加两根胡萝卜就糊弄一顿。但是四姐只肯缩食却绝不节衣，买件 T 恤也得去新世界——那是多宰人的地方啊，货品售价约等于进价的平方。"我好喜欢那件裙子哟，可它偏偏又不打折……"四姐常常为此红了眼圈。

　　四姐是福州人，19 岁以前从来没见过下雪。冬天第一场
大雪飘落的时候，四姐都快美疯了，感染得全班都跟着疯了，
出去堆雪人、打雪仗、照相，我一个东北土著也稀里糊涂地
拍了好几卷儿雪景，传出去丢死人！花园的水池子刚刚结了
一层薄冰，谁也没注意，四姐直眉瞪眼就走进去了，她想散
散步，却对多厚的冰才能禁住人根本没概念，结果是咔嚓一
声，身陷寒潭，多亏涌现出几个罗盛教式的好青年……

　　就在那天晚上，李蓝被我硬拉去溜冰，直到换冰鞋的时
候她还犹犹豫豫的。因为是夜场人并不多，我潇洒地在冰面
上来了几个大回环，紧贴一帮初学者身侧高速掠过，引起一
片惊呼。我的身体越来越轻，仿佛可以御风而行——感觉找
到了！

　　李蓝滑冰技术很烂，一上来就摔了个大马趴。刚挣扎着
站起来，嗷的一声又滚出去很远。我飞奔过去拉起这个小雪
球，李蓝浑身上下都是雪，脸蛋也冻红了，她坐在冰面上，
小嘴一咧。我想坏了，可能是摔疼了，不料眼前绽放出一张
灿烂的笑脸，像孩子一般兴奋……

　　很快李蓝就有了进步，我围前围后地保护着。月光下，
我们轻快地滑行，我说咱们来段儿泰坦尼克吧，你在前面滑，
我扶着你的腰。

　　李蓝说什么也不肯。最后只好我在前面张开双臂，一脸
陶醉地带着李蓝滑。李蓝的手臂放在我的腰上，感觉得到她

哈在我颈子里的热气。这时候我的耳朵出现了幻听，非常清晰地响起了一首曲子——很熟悉就是想不起名儿来。

我闭上眼睛，在心里喊道，"老天爷，我知足了，我知足了！"

12 赌局

"无敌最寂寞，高处不胜寒！"刘学发出幽幽的一声叹息，把目光投向白云深处。

没人敢说刘学吹牛。想当初寝室里赌风泛滥，赌具繁多。扑克成条成条地买，无论大连棒儿、掐一、红K、砸金花、六冲都有爱好者，麻将以东北穷和和北京推倒和为主流。高雅一些的也有桥牌和国际象棋。那时候不管谁想玩了，哪怕是一缺三，站到走廊里登高一呼，立即应者云集。赵赤峰是唯一谢绝参加各项集体活动的。

这一盛况大约只维持了半年，赌风迅速平息，赌徒人数锐减。不是因为学生处清剿得力，主因是刘学。这小子太强了，他那个脑袋简直就是机器，他把游戏变成了数学，精确、严密、冷酷无情。打麻将他可以扣着打，十三张牌抓好了扫一眼就背过去，摸一张打一张，直到和牌都不用再翻开。打扑克他牢牢掌握整个局势，又洞悉场上每个细微变化。不动声色，等到最后一刻才敏捷地避开陷阱，反手将对手置于死地。在刘学淫荡的狂笑里，我们都像被歹徒剥光了衣服的少女。有些兄弟实在气不过，引进了自己家乡稀奇古怪的玩法，教会他游戏规则没几天，往往老师就会被干掉。

兄弟们集体被激怒了，为这没少跟刘学翻脸，以至刘学后来给我们改名叫王加爵、李加爵、张加爵……大伙只有不带他玩儿了，输几个钱不怕，实在不想再受刘学智力上的凌辱。那种深深的压抑感、挫败感，真让人生不如死。不过哥儿几个偷偷玩的时候，偶尔还会不自觉地使用刘学留下的经典名言。例如"四个人打牌，如果15分钟内你还没看出来谁是猪头，那么你肯定就是那个猪头！"

寝室里堆积如山的旧扑克，退役以后派不上用场，都被赵赤峰收集起来制成英语单词卡片，倒有了个正经的归宿。

刘学只能走出校门寻找机会，半年内踢了文化路所有摆残棋的摊子。据说百无聊赖之下，还和社区的老太太们打过一毛钱的小麻将，黑过老人家的买菜钱。

刘学玩网游很讲原则，他对仙剑、星际有偏见，CS是玩的，可是单打独斗不参加任何战队。很快又称霸一方，在南门外红人网吧都有了自己的VIP专座，一群小弟好烟好茶地伺候着。玩《传奇》有无数行会争着请他当老大，他杀人如麻，装备好得让人眼红，据说卖掉后可以在农村娶两房媳妇。

只有赵赤峰仍然无视刘学的辉煌。赵赤峰多次当着刘学的面，摇头叹息，"刘学，一个聪明绝顶的废人！"刘学每次都深沉地回答，"我是个脱离了高级趣味的人！"

刘学的一个败将跑来报告，东大有一个女生象棋极为了得，功力恐怕不在刘学之下。因为这个败将刘学是让他车马炮半扇的，所以也没太当回事儿。败将又来报告，此女也是法律系的，和刘学不同班，而且颇为有意切磋一下。

"小女子不知深浅，"刘学从鼻子里哼了一声，"告诉她，谁输了谁绕着汉卿会馆裸奔三圈，敢不敢？"

败将第三次赶来报告，说该女生接受了比赛条件，还说如果刘学输了不必裸奔，男扮女装即可。刘学已无退路，只有定下了喷水池边凉亭下的约会。

第二天下午，我正在大教室学习《泰晤士报》的编辑风格，走廊里"布谷！布谷！布谷！"有人尖声吹口哨。一看是老疙瘩在探头探脑，又打手势又使眼色。我和老大赶紧寻机溜出教室。

"情况不妙！"老疙瘩气急败坏，"一开始，刘学让了小丫头一只车，下得挺顺的，不知怎么稀里糊涂吃了她一匹马，形势就急转直下，输了。

"我们说这盘不算，两个人平手再下，开始还是刘学优势，然后刘学又稀里糊涂吃了她一匹马，又输了。

"我们只有说三盘两胜，刚才我看，刘学又有点吃紧。"

我们赶到喷水池边的凉亭，赵赤峰也在那里了。刘学的脸已经变成紫色了，鼻尖也有汗了。再看对面的小女生，长得挺单薄，干干净净，笑眉笑眼的。

看了几步，刘学举起红车来又要去吃对方的黑马。

"不能吃！"弟兄几个齐声大吼。

"少废话！"刘学眼睛里都冒火了，"不吃？不吃车炮都没了，还下什么下！"

没出十步，刘学又被将死了。"认输了！"刘学从牙缝里吐出一句，"第二盘的时候我就该认输，我就是觉得邪性了！"

"没关系，"小女生还是笑眯眯的，"这是弃马十三杀，通常会在弃掉马之后十步内逼死对方——如果不遇到高手的话。"

"还有，"小女生依然细声细语，"男扮女装是开玩笑，当不得真的。"

"不行！"刘学一声大吼，"明天上大课见！"说罢头也不回地走出凉亭。

那天晚上刘学可能一夜没睡。弟兄们谁也想不出安慰他的话，刘学哪吃过这样的亏呀，不过反过来说也算是报应。

第二天刘学起个大早，又洗头又刮脸，不知道从哪里找了件红毛衫套上了。最绝的是刘学弄了两只又大又圆的红富士苹果，用一根粗毛线拴住挂在脖子上，从毛衫里头吊在胸前，赫然就是高耸的双峰，十分性感。

上课时间快到了，刘学又罩了件外套，深吸一口气，大义凛然地就走出去了。剩下我们哥四个早就商量好了，有难同当，集体逃课去法学班，一起见证刘学的壮举。

一路上刘学见着谁都含笑点头，还有闲心大发感慨，"多长时间没去上课了，很多同班同学都叫不出名儿来了！"

进了阶梯教室，一眼瞥见女棋圣在后排坐着呢，刘学刷地就把外套脱下来了。5秒钟沉寂之后，爆笑冲天而起，一帮小子笑得地动山摇，拍桌子打板凳吹口哨，就差没吐血了，女生的脸都涨得红通通的。

刘学镇定自若，在前排坐下，我们四个躲到后排。年轻的女讲师夹着讲义走进来，狂笑转为捂嘴咪咪傻笑和窃窃私语。女讲师大惑不解，直到看到刘学的扮相她仍然很困惑。她向刘学投来质询的目光，刘学用无邪的眼神勇敢地迎上去，最后女讲师的眼泪都快下来了，刘学才冒出一句，"没吃早饭！"从怀里掏出一只红富士，嘎巴嘎巴当场就给嚼了！

我注意到坐在后排的女棋圣，始终抿着小嘴儿不动声色，不禁心中暗叹，"好厉害的小女子，刘学你完了！"

果然，从此后刘学洗澡换衣服明显勤了，行踪也开始飘忽起来。等到他和女棋圣开始出双入对，寝室里没有人感到太吃惊。

13 知音

一开始，我们在心里就给刘学伉俪的未来关系定了位：
女棋圣是鸟，刘学是虫子。

可事态发展似乎并非如此，女棋圣处处给足刘学面子，
干什么都要先问问他，"我这样行吗？那样好不好？"只是有
一天，我偷听到两个人的对话。

"尽形寿，不打 CS，汝今能持否？"女棋圣问。

"能持！"刘学快乐而响亮地回答。

"给你《体坛周报》，以后每周我都给你买……"

每次我站到镜子前，感觉都非常不爽。我真是太普通了，
扔到人堆儿里就像一勺酸菜汤进了一锅酸菜汤，根本找不着。

"很帅吗？"我迟疑地问老疙瘩。

"你的五官还行，就是显得有点面，不讨女孩子喜欢。知
道女生现在都唱什么歌吗——《要嫁就嫁普京这样的人》！"

"那吾与城北徐公孰美？"我扭头向其他兄弟抛媚眼儿。

"去死！"

要说镜子里这个家伙很有魅力，除了我妈，其他人大概
都不会认同。"不怕有缺点，就怕没亮点"，我就像一条画完

了没点睛的龙，软塌塌地没有灵气儿。

我痛感自己不够阳刚，不够酷，除了耍耍嘴皮子，也没啥本事。不用李蓝说什么，自己就觉得有点寒碜。环顾东大，我觉得那帮子校园歌手挺酷，抱个吉他闭个眼睛，声嘶力竭地吼上一曲，挺招小女孩稀罕的。

我就想在这上面动动脑筋。我的嗓子不错，兼有王菲和毛阿敏的风格，起码比老疙瘩强。没听过老疙瘩用他们陕西家乡话唱《爱如潮水》吧，"爱如潮水将俄向腻推……"实在太折磨人了。唯一的问题是我不会弹吉他，可是刘学会。刘学这小子太聪明了，他那两只爪子，随随便便扒拉几下，未成曲调先有情。

"刘学，我必须得学吉他，学不成我也不想活了，你得帮我……"

刘学沉思半晌，"小旗，不是兄弟不帮忙，实在我那都是野路子——自己悟的。我会弹不会教，肯定耽误你……你还得找个班正经学学。"

"那你陪我去找个班吧，我下半辈子就靠你了……"

市少年宫离东大就一站地，琴棋书画什么班都好找。一开始我就盯着广告上写"速成"的，看了几家，刘学说，"这几个老师不行，别看外形都像长毛兽似的，那两下子绝对是水货。依我说你还得找个有真本事的，把基础打好，学吉他这玩意儿慢就是快……"

最后进了一家，老师剪个平头，戴着黑框眼镜，西装穿得土不拉唧的，不太像搞艺术的。刘学说，"你相信我，这家伙不含糊，看他的指法绝对是高手！"于是先交了300块钱学费，又花150块买把民谣吉他，算是正式入学。班上除了我，还有六七个小孩，最大的十一岁，我众望所归地被选为班长！

想不到我还真有音乐天赋，刚上手几次就学会扒拉和弦了，一周后就可以来点简单的曲子。眼镜老师很高兴，说我虽然指法笨拙，有几个音不准，但在曲子中传达出来的意境和韵味，比他还要略高些！眼镜抓着我的手左看右看，"这么细长的手指，就是天生弹吉他的料！我吃亏就在手指头太短上了……"

靠！原来老大和刘学对我的手指也有过评价，说是细长有力，特别适合偷钱包，这么一夹，神不知鬼不觉地……

一分耕耘，一分收获。要是我把练吉他的劲头拿来读书，估计早就考进哈佛耶鲁牛津剑桥了。每天回到寝室，我先焚香（蚊香）净手，再吟哦一段，"欲将心事付瑶琴，知音少，弦断有谁听……"然后就抱着吉他苦练到深夜。即便那帮俗人用武力把我驱赶到楼顶，还是曲不离手地练……指甲磨劈了，指尖磨破了，一碰就钻心地疼。

因为学琴，偶尔耽误几堂课在所难免，想不到险些酿成大祸。那天我拖着疲惫的身体刚回到寝室，老大端着一副恩人的嘴脸就凑过来了，"王小旗，今天马哲课单元考试了，折算期末成绩的，是我，你大哥，替你答了一份卷子！"正当我无限感激地和老大拥抱在一起，赵赤峰又回来了，"马哲测验太简单了，完全小儿科！我做完以后行有余力，又替小旗做了一套，算是以实际行动对你的支持……"

我眼前一黑，差点没气背过去。一个人出了两份卷子，这算啥事儿啊？全乱套了！正在此时，张宽晃晃悠悠地进来了，"王小旗！怎么谢我，今天马哲考试我替你答了一份卷子！你借我那50块钱是不是就算了……"

靠！太夸张了吧。老大和赵赤峰正在翻白眼，马上就狂笑得口吐白沫蹲地上了，张宽还傻愣愣的。

"张宽安达……"我深情地凝望他的眼睛。

"王小旗安达……"张宽凑过来。

"你是吃饱了撑的没事儿干了吧！"

大家一商量都感觉形势严峻，冷汗全下来了，因为比这还轻的事儿受处分的大有人在。思前想后，我下决心去找马哲老师自首，能不连累朋友最好了，真要玉石俱焚也没办法，也算给后人留下一段佳话吧。

教我们马哲的是个老太太，一边听我沉痛地交代，一边滋溜滋溜地喝着白开水，眼皮都不愿意抬。半晌，老太太慢悠悠冒出一句，"我看这么办吧——我给你去掉一个最高分，再去掉一个最低分，中间那个就算你的成绩！如何？"

　　我整个人都傻了，直到看见老太太眼睛里露出一丝狡黠的笑意。多可爱的老太太哟，在蹲出办公室之前，真想扑上去亲她一下，像对我奶奶似的。

　　很快我在吉他班就要学成结业了，眼镜舍不得让我走，他说，"兄弟，凭你的悟性能练出来，前途无限！我不收你的学费了，咱们一起切磋……"我心想什么前途啊，最后也开个吉他班不成？你知道我玩命学吉他为的是什么，已经占去不少陪李蓝的时间了。见我坚持要走，眼镜发火了，"我，我就没见过你这么自暴自弃的人！"

　　我也受了感动，心里一阵阵发热，我握住眼镜的手，"人各有志……"

　　回到学校，我仍然苦练不辍。我和着吉他唱的第一首歌是许茹云的《四季》：

　　"春天摇着尾巴，说它其实爱着夏天，但已经是过去的事，冬天又来了……"

　　"秋天！你唱错了，是秋天摇着尾巴……"老疙瘩好为人师地纠正我。

　　我根本不搭理他，心情愉快地继续唱，"秋天也摇着尾巴，说它爱上了老疙瘩……"

14 献艺

唐美偷偷告诉我，这个周五是李蓝的生日，其实我老早就开始筹划了。我暗地里苦练吉他，就瞒着李蓝一个人，我要在她生日那天，拿出点有冲击力的东西。

东大有在女生宿舍楼底下献歌的传统，超市莘莘店和九舍之间那块空地，隔三岔五就跑来个卖唱的。外语学院有个ZNB（真牛逼）乐队挺受欢迎，那天唱的是卢庚戌的歌——《我没有自己的名字》。"有一天早上从梦中醒来……"主唱的声音断断续续的听不太真，轮到副歌的时候几个小子一起狂嗥，气势就出来了，"I have no money, have no car！"……楼上有人嫌闹得慌，推开窗户大吼一声，"have no face！"乐队沉寂了片刻，马上又从善如流地嚎起来，"I have no money, have no car, and no face！and no face！"……

从周三起我就不刮胡子了，到了周五一照镜子，已经很有沧桑感。唐美给我发来短信，"晚七点切蛋糕，李蓝似乎有所期待……"我想把手机关了，转念一想用不着，以李蓝的个性，这种时候是不会主动给我打电话的……

在寝室里熬到六点半，华灯初上，众兄弟陪着我倾巢而出，既然是集体活动，大家都穿上我买的安踏跑步鞋。老疙瘩和赵赤峰很卖力气，把九舍楼下的自行车都推到一边去，等一会儿赵赤峰和老大还要负责领掌，制造气氛。刘学也背了把吉他，他得给我伴唱，给我壮胆儿。

刚刚拉开架势，陆续就有人围过来了，叽叽喳喳指指点点。因为极度紧张，我注意力集中得全松弛了，大脑一片空白，反而去注意楼门口的松树，斑驳的砖墙，还有那个女生的妆画得也太浓了！

刘学冲我扬扬下巴，示意一切准备就绪。对着楼上的窗户，我俩先扯着嗓子大叫一声，"李蓝！李蓝！我们给你祝寿来啦！"

我一拨琴弦，正要张嘴，忽听人群里老大的一声嚎叫，"好啊！"接着就是他和赵赤峰稀稀拉拉的掌声，周围传来阵阵哄笑。靠！这个败事有余的东西，不是添乱吗——我还没开始唱哪！

我重新稳定情绪，张开嘴，低沉的男中音缓缓响起：

"在我们还年轻的时候
我要你成为宠坏的孩子
让我宠你的
天真美丽和纯洁

等我们都老了

就变成了一对蚂蚁

每只蚂蚁都有

眼睛鼻子和嘴巴

美不美丽

就差一微米

谁能看得清

你再也没有嫌弃我的机会

……

在这纷乱的红尘中

我们是一对依偎着的小蚂蚁

我们是一对相亲相爱的小蚂蚁……"

　　这首《一对小蚂蚁》是刘学作曲，我自己填的词。我俩唱得肯定还不赖，因为人群中已经响起真正的掌声。楼上很多寝室陆续推开窗户，401 的窗户也开着，可是里面竟然一点动静也没有。

　　我心里完全没了主意，傻站着不是办法，刘学低声说，"兄弟，沉住气，再来一遍！"

　　"……在这纷乱的红尘中

我们是一对依偎着的小蚂蚁

我们是一对相亲相爱的小蚂蚁……"

　　李蓝的寝室还是毫无反应，平静得瘆人。我已经没有退路了，只有咬着牙一遍遍地唱下去。当我唱到第八对小蚂蚁的时候，周围原来跟着轻轻哼唱的都停了下来，眼圈发红的女生也已经不再擦眼睛，所有人都有预感，今天的结局肯定出乎意料，大家都在等待我如何收场。一片压抑的寂静中，只剩下我凄凉的歌声在飘荡，"每只蚂蚁都有，眼睛鼻子和嘴巴……"

唐美急匆匆地跑下来，把我拉到一边，"王小旗，你快走吧！"

唐美瞪着我，"李蓝都哭得快昏过去了，绝对不是惊喜，看起来像是极度的——厌恶！"

就像梦游一样，我都不知道自己是怎么逃回寝室的。坐在床上我神情恍惚，胸口堵得喘不上气来，血一个劲儿地往脑袋上涌。看着扔在门边的吉他，我怒从心头起，嗷的一声扑过去，抡起吉他狠狠地砸向铁床架子。

咔嚓，吉他断成两截。我听见刘学倒抽一口凉气，"那是我的琴……"靠，砸错了。我驴劲儿上来，抄起自己那把吉他又一阵狂摔。

众兄弟都扎个手没法子，刘学只有苦笑，"小旗呀，睡吧，睡吧，有什么事明天再说……"

这一夜我翻来覆去，根本睡不着。我就是想不通，我到底做错了什么？难道说我唱得就那么恶心吗！

15 难受

一大早我就把刘学叫起来了，"你得陪我找一下李蓝，就是死我也得做个明白鬼……"

走到五舍东面的山墙下，一个满脸疙瘩的小子把我拦住了。我一看认识，ZNB乐队的主唱。

主唱向我伸出双手，"兄弟，加入我们吧！我们需要你这样创作型的……"

靠，真是太搞笑了，加盟个屁呀，吉他都让我摔零碎了。早起来我看见两支琴头被赵赤峰捡去了，绑在床头挂衣服呢。我没心思搭理他，随手往身后一指，"去找我的经纪人……"

主唱转向刘学，刘学忍住笑，拍拍主唱的肩膀，"朋友，很抱歉，他已经签约英皇唱片了……"

直到我们转过楼去，主唱还满脸通红站在那儿，气得每个疙瘩都闪闪发亮。主唱冲着我们的背影喊，"狂什么呀狂，真正的艺术家应该德艺双馨……"

到了九舍门口，看门大妈把我叫住了。大妈慢条斯理地说，"小伙子，是你唱了一宿儿的歌吧，跟女朋友闹别扭了吧？听大妈的，你先回去，现在你们都在气头上，说什么都容易僵，等双方冷静冷静再谈不更好嘛……"

　　遇到这么个慈祥又絮叨的大妈，我一点脾气也没有，只能往回转。要是东大学生处的都有这水平，思想教育工作早抓好了。

　　给李蓝发短信，她不回，再打电话，她关机了。一整天李蓝没去上课，我也就在六神无主胡思乱想中度过了一天。第二天在走廊里，李蓝和唐美一起走过来，李蓝的眼睛还有点肿，看见我她扭头就走，那眼神儿冷得都带冰碴儿。唐美瞅机会告诉我，李蓝说她永远不想再见到你啦！"这丫头特别犟，你先别急，慢慢来……"

　　李蓝说到做到，除了上课，我再也见不到李蓝的面儿。同在一个学校，却好像生活在异度空间，听得见声音，看得见影子，却永远也触摸不到……

　　努力了几次以后，我开始心灰意冷了。我委屈，更憋屈，就是犯了死罪，枪毙前还得宣布罪状先呢，我到底错在哪了，让你烦成这样儿？我就算再贱呗，还剩下二两自尊心哪。

　　寝室里再也指望不上我打开水了，大伙洗脸都用凉水，洗脚的次数明显减少，因为拔凉拔凉的实在抗不住。课我是早就不去上了——给谁学哪！我蓬头垢面，在床上一趴就是半天，闭着眼睛，想象中苔藓和霉菌在我身体上一点点滋生出来，我身上脸上都是绿毛，心里也慢慢结满蛛网，落满灰尘……

　　"靠，你多长时间没洗澡了，浑身一股干豆腐味儿！"刘学把我从被窝里拖起来，"走，走，出去哈酒去……"现在也就喝酒这件事还能让我有点劲头。

我俩溜达到西门外一个小饭店，拌了两个凉菜，烤50个肉串。

"来来来"，喝了这杯忘情水，换我一夜不伤悲……刘学拿酒杯使劲跟我磕了一下。

三杯凉啤酒下肚，我咕噜打了个饱嗝儿，随着一口气出去，觉得心情也好多了。人就是这样，吃点好的，人生观世界观都有可能改变。

喝了四瓶啤酒，肉串也热了几遍，我说差不多了，咱们回去吧，喝多了也没意思。我们晃晃悠悠地回宿舍楼的时候，我甚至觉得心情很愉快了。没想到走过汉卿会馆后身的小树林，远远看见一对小恋人抱在一起，我心里又开始泛酸水，难受。

刘学看出来了，眼珠一转，趴在我耳边嘀咕片刻，突然一翻脸，揪住我的脖领子，"你装相是不是？你给脸不要脸是不是……"我扒拉开刘学的胳膊，反手掐住刘学的脖子，两个人撕巴了一会儿，我一脚踹在刘学的小肚子上，扭头就朝小树林跑。

刘学从兜里掏出一个明晃晃的东西，一边追一边喊，"我捅了你！我捅了你……"

两个小恋人吓坏了，嗖的一声都跑没影儿了。我和刘学坐在地上哈哈大笑。刘学揉着肚子说，"你他妈还真踢啊！"

"你哪来的刀呢？"

刘学扑哧一笑，"什么刀，是我中午吃饭兜里揣的饭勺！"

过了一会儿，刘学说，"哎，刚才你注意没有，那两个小家伙怎么跑的？要是往一个方向跑的还好办，要是分头跑的没准儿明天就得黄！"

我半天没言语。刘学知道我又难受了，凑过来，"要不让你嫂子在法律系给你找一个？不过像你嫂子那样的可没有了……"

我拍拍屁股站起来，"不用了，我打一辈子光棍儿行不行？我他妈到西藏当喇嘛去行不行？"

"你还挺驴啊。"

"嘿！驴算什么呀？我就是我！"

回到寝室，我要去拉屎，随手扯了张报纸蹲在厕所里看，想不到一篇小文章把我吸引住了。

说乌鲁木齐百鸟园有一只母蓑羽鹤受了伤，公园把它放到丹顶鹤的笼子里，很快母蓑羽鹤和一只公丹顶鹤勾搭上了，生了一窝蛋。但是这两种鹤染色体不一样，蛋孵不出来。母蓑羽鹤的伤也好了，公园又把它弄回蓑羽鹤堆里，不过它不许别的公蓑羽鹤靠近，每天还哀鸣不止。工作人员着急了，让它远远地见了公丹顶鹤一面，这下不可收拾了，母蓑羽鹤玩命往笼子外面冲，撞得羽毛掉了满地。再说那只公丹顶鹤，公园又在它笼子里放了两只母灰鹤，它们染色体接近，有只母灰鹤向公丹顶鹤示爱，公丹顶鹤不但不领情，还很愤怒，把母灰鹤叨得满脑袋是血。

公园一合计，干脆又让母蓑羽鹤和公丹顶鹤住一起了。不就是不能生育吗，这回偷偷把别的蓑羽鹤生的蛋放它们窝里了。小蓑羽鹤孵出来以后，公丹顶鹤乐颠颠地当起继父，每天抓到鱼，先喂几个小的，再喂母的，都是高蛋白，剩下鱼头虾脚才自己吃……

我的鼻子发酸，两腿蹲得发麻，忍不住贾谊的名句脱口而出，"天地为炉兮造化为工，阴阳为炭兮万物为铜！苦啊……"

小便池前站着一个兄弟啊呀一声，没防备身后有人吟诗，吓得浑身一哆嗦，然后再也尿不出来了。

16 鸳鸯

刘学真够意思，每天陪着我，我都不好意思了，说我一时半会儿还死不了，你去和女棋圣 HAPPY 吧。刘学说，"没事，没事，两情相悦，又岂在朝朝暮暮……"

一天我和刘学突然发了雅兴，想起很多年没去图书馆了，听说改建以后装修很豪华，何不去观光游览一番。想不到进了图书馆才发现，这一片净土，如今也已成了情侣们的天下。

本来我就怕受刺激，可是整个图书馆里无一处不是春意盎然。相亲相爱的小两口儿占据了八成座位，剩下几个不知好歹的鳏寡孤独。一个个表面上手不释卷，底下欲火中烧，有两眼冒火直勾勾对望的，有吃吃浪笑的，有泪流满面的，有男的揉揉女的头发，女的掐掐男的脸蛋的，还有女生坐在男的大腿上看书的，那男的真是柳下惠级别的人物，居然能不动声色地看下去！

我目不斜视地在书架间踱步，忽然眼前一亮，不远处有一本"德彪……精选"，心想药匣子咋也出书了，可得瞧瞧。奔过去仔细再看，原来是《德彪西钢琴名曲精选》，顿觉索然无味。

刘学也正郁闷呢，我甜甜地冲他叫了声，"哥，咱们出去香一个吧！"

"走，香一个去！"刘学高声响应。在众人惊骇的目光中，我俩挽着手走出图书馆，刘学掏出香烟，递给我一支，"憋半天了，赶紧香吧！"

刘学说，其实这些情侣也不容易，都是穷孩子，节俭谈恋爱吧。星巴克里面情调好，可是太贵，看场电影不也得花钱吗？

老大也没闲着，宣传部的一个小女干事落入了他的魔掌。我们骂老大——兔子专啃窝边草，利用职权性骚扰。老大说他们是相互欣赏，相互吸引，刘学说，"靠！相互勾引！"

女干事每天来和老大切磋文学，买一根冰棍俩人合吃，她嘣拉一口，老大嘣拉一口，当着我们的面儿相濡以沫。

老大揉揉太阳穴，"咳，真是毛病，每天不读几页普希金，就是睡不着觉!"女干事一脸景仰地望着老大，眼睛媚得能滴出水儿来。我们暗骂放屁放屁，你枕头底下明明是西村寿行的《变态杀人狂》。

"幸福是需要配合的!"赵赤峰很感慨。

都说蔫人出豹子，没想到老疙瘩更强，竟然拐了拐了带回个女留学生，伊朗来的。这丫头皮肤可真黑，掉煤堆里找不着，细看眉眼儿却漂亮得惊人。她有个一嘟噜串的名字，老疙瘩管她叫木耳。

木耳和刘学见面的场景很戏剧化。木耳一进来就把刘学叼住了，"你，就是汉斯先生吧——我是千千阙歌啊! 哈哈! 东大的德国同学都是我的好朋友，你怎么能骗得到我? 我觉得你真好玩就一直没揭穿你，老疙瘩还说你聪明呢，可是你不觉得自己很像一个——傻狗吗……"

刘学一张脸臊成了紫茄子色，木耳一走，刘学咣咣拿脑袋往电脑上撞，"瞎了眼啦! 瞎了眼啦……"

众人追问老疙瘩怎么把外国美眉骗到手的，老疙瘩很牛逼，"我告诉她，你们国家，一个男人四个老婆，我，就要你一个……搞定!"众人大悟，称羡不已。

老疙瘩不老实，我偷看过他给木耳写的情诗，"假如我是一只乌贼，我将用我的八只手，把你紧紧抱住……"这种直白肉麻的东西，对外国女孩来说无疑是一剂猛药。

寝室里所有人都喜欢木耳，尤其刘学，拿她当亲妹妹看。平时大伙满嘴喷粪，可谁要敢拿木耳的民族习惯开玩笑，估计他是活腻歪了。老疙瘩为爱牺牲，开始拒食猪肉，偶尔意志薄弱想开戒，大伙都像看贼似的看着他。如果大家出去聚餐，总是早早点好了回民菜，还不忘了嘱咐一声，"一定用豆油炒啊！"

张宽这种人渣居然也有人喜欢。她的第一个女朋友身材娇小，自己觉得美中不足，总穿个细高跟的鞋，一拐一拐像美人鱼登陆，旁人看着都揪心。其实年轻小姑娘，即使不特别标致，看上去总是可人的。后来不知何故，两个人分手了。

张宽又傍上个女研究生，大他两岁，有几分姿色。女研究生跩的不得了，自认东大第一枝花，本科生比她，略输文采，博士生比她，稍逊风骚！当她的男朋友真得是铁打的才行，估计张宽胡吹自己家里是富豪才骗得她的芳心，女研究生买的衣服，件件贵得吓人，全部是张宽付账。我们都说，根据一个女人所穿的衣服来判断她男人的贫富，那是极不可靠地！

结果就是张宽到处求爷爷告奶奶地借钱，最后免不了真相败露，女研究生离他而去。我们都劝张宽要看菜下饭，踏踏实实找一个适合自己的，如此分散投资不是办法。张宽回答说，"对女人，我是宁滥毋缺！"

后来张宽越来越变态，女友不断地换，回来还跟我们吹嘘，今天他又摸人家哪儿哪儿啦，"那手感真是……"

刘学冷笑，"别他妈哄人啦。俩人到了认真恋爱的时候总会有些特征，比方说二毛——就是女的开始织毛衣，男的开始不看毛片儿了！"

"为什么？自己想！像你这样肯定还没上手呢，要不然自己家的东西，哪个男人那么大方，让大家欣赏……"

张宽默然。

除了赵赤峰仍旧死水一潭，人家都投入到火热的生活中去了，酸也好，甜也好，热闹是人家的，没我什么事儿。

一天，大伙出去喝酒。刘学喝多了，瞄着女棋圣和木耳的肚子想要指腹为婚，"如果将来生了一男一女……"

木耳头脑简单，心直口快，抢着说，"我知道，我知道，就让他们结为夫妻！"老疙瘩摇头苦笑。

"如果生的是两个男孩……"

我抢着说，"那就让他们搞同性恋好吗……"

一群人扑过来打我。

17 请愿

文法学院的基础课特别变态，理工科都学《高数 1》，我

们居然开《高数2》，像《大学物理》，这辈子基本用不上了也
照开，听说是有助于锻炼逻辑思维。一次我们院长在办公室
打电话忘了关门，"这新闻系的专业课可怎么办哪？老师还
没找全呢……不行再添两门基础课吧！"

大伙的心里拔凉拔凉的。

今年我们又开了《数据库》，老师是个刚毕业的女研究
生，眼高于顶。我们问女研究生，《数据库》是考试课还是
考查课。女研究生说她也不清楚，你们就先当考查课学吧。

《数据库》指定了几本参考书，我们不知道哪儿有卖的，
女研究生说不用买，用不着。

女研究生满腹经纶，一开始硬要用英语授课，大伙说您
饶了我们吧，母语都听不明白，我们那点听力水平实在是有
限公司，何况还有学日语学俄语考上来的呢。女研究生说没
事，没问题。

直到考试前一周，女研究生宣布，她去教务处问过了，
《数据库》果然是考试课，复习范围就是整本书，大家努力！

竟有这样心不在肝儿上的老师，根本不管学生的死活啊！
我们起来跟女研究生交涉，女研究生耸了耸肩，"不是还可
以补考吗！"

靠！冷血啊！这个铁石心肠的女人（以后一直简称石女）
快把我们都气成癫痫了。忍无可忍，毋须再忍！大家立即决
定集体上书向院方抗议，新闻系有的是笔杆子，法律系都是

未来的职业讼棍，一份请愿书玩儿似的就拟好了。

大家一看，有如匕首投枪，字字带血，句句击中要害，没什么可改动的了，于是分头回去收集签名。我在寝室里一讲，刘学屁都没放，刷刷就签上了自己的名字，每个字都有拳头大小。

老疙瘩凑过来，"算我一个，算我一个!"我说，"滚蛋!你是信息学院的贵人，这是穷棒子的斗争，没你什么事儿!"

开始没想让赵赤峰签名，因为他学习好，文法学院只要有一个人能过《数据库》，那也是他赵赤峰!可赵赤峰坚决要签，他说，"这不是过不过的问题，它代表着自觉维权意识的苏醒……"大家深受感动。

老大这个玻璃球居然肯签名，而且调门很高，"这是为民请命，作为大家信任的学生会干部，我当仁不让……"结果他把自己的名字写在一个角落里，那小字还都是狂草，用肉眼很难辨认……

找到张宽的时候，这小子不知道吃什么大补的东西了，正在流鼻血。张宽狂喜，"正好，正好!我给你们写血书，要不然都浪费了!"

签名进行到一半，赵赤峰想起来，"要不咱们先找许诚商量一下吧?"

许诚是院学生会副主席。文法学院有句名言，"许诚虽然是学生会的，但人还不太狗!"在对学生干部普遍评价偏低的情况下，应该算是对其人的高度肯定。

许诚说我正要去找你们，看过请愿书，许诚直皱眉，"不能光图痛快，这不是解决问题的办法……"许诚劝大伙，请愿书不要送了，改成给院领导并教务处领导的一封信，把前后的客观情况和学生的实际困难向领导们汇报，措辞委婉，情理交融，最后代表全体同学请求将《数据库》改为考查。也不用签名了，就由许诚自己悄悄地呈送给院领导。

不料学院当局是软硬不吃，定要将没人性进行到底。院里宣布，一是《数据库》作为考试课不能变，二是考试将全部在中心考场进行。中心考场，历届老生都闻名色变的恐怖之地——装着摄像头监视器呢。

其他学院的同学纷纷跑来安慰我们，节哀顺变吧，临走又加上一句，"唉，可惜！秀才造反，十年不成啊！"

许诚回来，面色凛然，一字一句地说，"事情发展到了今天，我们只剩下了一个选择——罢考！"

"罢考？"大家伙吓了一跳，接着都热血沸腾，"罢考！罢考！与其默而生，不如鸣而死！武大郎服毒——喝也是死，不喝也是死！"

许诚挥手止住众人，"大家回去动员，记住两个原则，第一，自愿参加；第二，举止一定要文明！"

文法学院的女生也都不是省油的灯，派代表过来叫我们放心，到时候看娘子军的风采！代表说大鸟的表现最为复杂，她的本性是不可能背叛统治阶级的，但是《数据库》她肯定也过不了，过不了就没有奖学金，将来评优保研都要受影响……大鸟很矛盾，最后躲起来了。她爱咋咋地吧，就是去告密也不怕，学校不能把这么多人全开了吧！

考试那天早上，参加罢考的同志在五舍楼下集合，没想到能来这么多人，男生女生都很激动，满面红光的，大家尽量排成队列，有秩序地向中心考场前进。几个小子唱起了《国际歌》，"……从来就没有什么救世主，也不靠神仙和皇帝，要创造人类的幸福，全靠俺们自己……"跑调了没关系，这歌本身自有一股气势在！环顾四周，这还是我平时那帮子同学吗？我都有点不太敢认了。别的学院的打旁边经过都吓了一跳，说，"疯了，都疯了！"

忽然听见一声高亢的尖叫，是大鸟，"许诚在哪儿，谁看见许诚了？"大鸟张开双臂拦住队列，此时许诚正迎面匆匆跑来。

大鸟把许诚拉到一边，急促地小声说，"许诚，这不是逞英雄的时候，不要被利用当炮灰！你带头去闹事，有了结果所有人一起受益，包括躲起来的人……"大鸟的眼圈都红了，这番话看来是发自肺腑，真情流露。据后来有人考证，其实大鸟一直都在暗恋许诚！

许诚轻轻推开大鸟，满脸疲惫，"同学们，刚刚和院方达成共识，这次考试原则上不抓人——大家可以去考场了。"

　　嗷的一声欢呼，队列顷刻间解体，大家夺路而走——去取准考证，本来面目全部恢复，终于又见到在食堂抢饭的我熟悉的同窗们了。大鸟一脸幽怨地望着许诚，"许诚，在东大的政治舞台上，你已经死了！"

　　许诚摆摆手，没搭理大鸟，看起来他也有点烦躁。

　　我很激动地对赵赤峰说，"如果明天战争来临，如果有许诚这样的人冲在前边，老子再怕死也绝不当孬种！"

　　赵赤峰仰天长叹一声。

　　整个中心考场喜气洋洋，堪称百年不遇的奇观。刘学破天荒也来参加考试，进考场前他很无耻地说，"有便宜不占王八蛋！"出了考场刘学还是美滋滋的，逢人便讲，"失误，失误！有一个填空没做出来！"外人吓一跳，以为他差点就拿满分了。我们都知道，他没说的下半截是"其他大题更是打死也做不出来！"

　　学院果然守信，《数据库》基本上没不及格的。事前有路子办了缓考的机灵鬼，现在一个个都把肠子悔青了。等看到连刘学居然也过了，更是顿足捶胸呼天抢地……

18 旧爱

　　"王小旗王小旗王小旗王小旗，王小旗——"张宽一迭声地狂叫着冲进我们寝室，"有个大美女——找你！"

"滚远点！别妨碍我沉思！"开始我以为张宽在忽悠我，看他激动得直伸舌头呼呼喘气，又不像是假的。我赶紧凑到窗户前，楼下小花园那儿还真坐着一个女生，影影绰绰看不清模样。

"谁呢？"我扒拉出一件体面点的夹克，穿上，三步两步下楼。那个女生坐在花园铁栏杆上，仰着脸，小腿一荡一荡的。走近仔细一看，我的眼珠子差点没掉地上，"是她！原来是她！"

她就是毁了我纯真初恋的高二文艺委员！

全身的血液都涌进我的大脑，昔日的屈辱和刺痛一起回到心头，我曾经无数次地幻想过这个场面，"多年以后，我驾着奔驰600缓缓滑过都市灯火，我西装革履，仍然难掩神情的沧桑与落寞。此时女文委身败名裂，穷困潦倒，在暴雨中，她扑到我的车上，苦苦哀求我给她最后一个机会。我平静地推开她，关上车门，奔驰绝尘而去，溅了满身泥水的她，瘫倒在地上号啕痛哭……"

"嘻嘻，王小旗，你一点儿都没变哪！"女文委轻快地跳下栏杆，向我走来，露出一排雪白的牙齿，"没想到吧？是不是老同学相见，分外眼红啊！"

我的眼睛肯定是血红的。女文委披了个很大的披肩，画了淡妆，笑靥如花，那张我曾深深迷恋，后来恨不得往上面泼硫酸的笑脸一点都没变。

"你怎么来了？"很久以前我就想明白了，自己其实一辈子也不能把人家怎么样，现在我心里浮起了深深的戒备。

"走吧，不能总傻站在这儿说话啊！"女文委拉着我往外走，我仰头一看，楼上探出来无数龇牙咧嘴的人头。

我缩个脖子和女文委并肩而行，一路上迎来不少热辣辣的目光，女文委若无其事，我心想，嘿嘿，老子当年的审美还不差吧！女文委的腿很长，穿着靴子，走起路来富有弹性，长发飘飘有点像 007 女郎。

走到青鸟酒吧，我略一犹豫继续往前走，找了个便宜点儿的冷饮屋进去。我要了杯可乐，女文委要了支和路雪开始舔上面的奶油。

"东大不错。"女文委东张西望地说。

我嘿嘿两声干笑，心里的火又开始往上拱。

"我考得也不好，辽大……"

我早就知道。

"有女朋友了吗？"女文委笑盈盈地望着我，很像是明知故问。

我不必回答。

"那你有男朋友了吗？"我问。

"有——过！"

"哼哼！"我露出不出所料的表情。

肯定是我幸灾乐祸的嘴脸太明显，女文委生气了，"王小旗！你冷笑什么？我打听了好几个同学，大老远地来找你，不是送上门来让你嘲笑的！你就是这么个小肚鸡肠的人！亏我当初还有点儿喜欢你……"

"喜欢我？"我气得说话声儿都发颤了，"当年是谁亲手导演了那出悲剧！貌若天仙的下句怎么说来着——心如蛇蝎！"

女文委扑哧一声乐了，头往后一仰，"你不说说你那缩头缩脑的样子！写一封酸不拉唧的破情书就想……你以为你是谁呀？"

"我，我……"

"得，得，我不是来吵架的，"女文委止住我，"我带来一件东西给你，看看还认识吗？"

我瞪着女文委掏出一张纸，慢慢展开，我的心开始狂跳，女文委把那张皱皱巴巴的纸推到我面前，天哪！我喊起来，"你还留着它！！"

这就是当年我点灯熬油写的情书，由于在公告栏贴过一段日子，风吹日晒，蓝黑的钢笔字有点儿模糊了，我的眼前直冒金星，意识也开始模糊……仿佛又看见那个骑着破自行车，在校门口探头探脑的我，在自习课搜肠刮肚给女文委讲笑话的我，大年三十夜里在女文委家楼底下站了半宿儿的我……我那风花雪月的年少哟！

女文委的声音像梦一般在我耳边飘荡，"那时不光你傻，其实我也挺傻的……不知道很多东西的珍贵……等到自己投入地爱一次才明白……这些年追我的男生一把一把的，可没有一个像你……我们还能重新开始吗？……"

"王小旗，你怎么啦？"女文委用手指捅捅我。

"我，我……"我望着女文委目瞪口呆，"有点乱——太突然了！给我一点时间……现在，我得马上去厕所……"我慌慌张张站起来，晃晃悠悠地走向厕所，女文委笑了。

蹲在厕所里，我什么也没想，什么也想不下去。无数个乱七八糟的念头都涌进脑袋里，李蓝、女文委、高中时的班主任、我爸我妈，还有唐美、老大、刘学、张宽，甚至还有红人网吧的老板，无数张面孔和场景刷刷地在我眼前过电影。最后我的脑海里剩下了四个字"美梦成真"。我对自己说，"算了吧，就这样吧。人家李蓝不要你，眼前送上门来的机会，过去连想都不敢想……已经错过月亮了，不能再错过星星！"

我还蹲着没起来，我想再赌一把，如果下一个进来的人不戴眼镜，我就出去和女文委梅开二度，反之就算了。过一会儿，进来了一个小便的老头，果然没戴眼镜，我提上裤子，出去找女文委。

女文委在冷饮屋门外等着我，等的时间很长了，穿了小靴子的脚轻轻地跺着，手里还拿着我的那张旧情书。我走过去，从女文委手中拿过情书，深情地望着她的眼睛，张开嘴。女文委嘴角一动，俏丽的脸上露出笑容，似乎是在意料之中。

就在这一瞬间，我改变了主意，话到嘴边变成了"……有些事情错过并不是过错，我们都不再是从前的……"

女文委的笑容一点点地冷下去，她甩甩头，好像如释重负，"没关系，真的没关系，我也算了了一桩心事……"

我把心一横，干脆冷酷到底吧，我轻轻地把旧情书撕成三条，手一摊，被风吹到了路边的小树底下，"就把那往事留在风中吧……"

女文委走了，走之前，她回头看了我一眼，说，"恋爱很难的，你学会了吗？"

望着女文委远去的背影，我百感交集，好像喝了一杯冰冷的水，又像欣赏一种残酷的美。

女文委的背影看不见了，我急急冲到小树底下，把撕开的情书捡起来。回到寝室，我剪了十几条透明胶布，把情书正面粘了一遍，又把背面粘了一遍，小心地夹到《数据库》课本里——毕竟是我成长过程中的珍贵史料啊！

19 暗 访

"恋爱很难的，你学会了吗？"我在心里琢磨着女文委的临别赠言。

张宽跑过来，"朝花夕拾了吧兄弟，怎么地，没成啊？"

刘学说，"真的，王小旗，我发现你有点自虐的倾向！"

"放屁！"

赵赤峰幽幽地说，"有时候人喜欢什么女孩，自己也说不清。"

还真是的，过去我一直很清楚心中的姑娘是什么样子的，可现在她渐渐模糊了，变成了一个影子。

从早上睡到中午，我是无论如何再也睡不着了，想想就再重温一遍《笑傲江湖》吧，于是爬起来去了图书馆，借了书正好直接去食堂。

刚从图书馆出来，刘学打来电话，"王小旗，你爹来了！"

"你祖宗来了！"我大怒。

"你别急呀！"刘学很委屈，"你爹就在我们寝室哪，我说你去图书馆了，让王叔跟你说话……"

"小旗，是我！"电话里真的传来我爸的声音，"我在寝室等你，你先忙正事儿……"

"我马上回去！"我把四本《笑傲江湖》塞给身边一个同学，急急忙忙往回跑，一边跑心里一边合计，怎么啦这是，也不是探监的日子，都跑东大来啦！

我爸穿得很体面，像高级知识分子似的，他这是到沈阳开个新药研讨会。"顺便看看你，突击检查一下你在学校胡闹了没有，还行，知道去图书馆看书……"

就是血比水浓啊，见着我爸，我心里还真有一丝的高兴之情。

我爸让刘学和我们一起出去吃饭，刘学不去，"你们爷俩好好聚吧!"

我假模假式儿地问刘学，"下午有课吗？我想陪我爸逛逛……"

刘学一本正经地想了一会儿，"没课没课，下午写调查报告,你不早就搞好了吗,晚上回来别忘了给我讲讲思路啊……"

中午我和我爸去吃了顿都市快车，吃完饭才不到一点钟，我爸是晚上的火车，还有时间。

我爸问咱俩去哪儿，我想了想，去北方图书城吧。

我们先坐 18 路，再换 214 路，最后坐 267 去青年大街。

我爸说，"儿子，要不咱打个车吧?"我说，"别，省点儿是点儿!"

在书店我挑了几本专业书，都是理论性较强的，精装插图的我一本没要，"现在这书里也掺水，没什么内容，还贼拉的贵。你不买吧，别人都充电，你还怕拉下了……"

我爸说，"该买的还得买。"

我和我爸又一起吃了顿晚饭，每人一碗牛肉面。我爸乐滋滋地坐车走了，临走给我扔了 500 块钱。

我抱着一摞书累得要死，打个车就回东大了。路上想想我爸回到家，肯定和我妈乐得合不拢嘴，我都被自己的孝心感动了。

回到寝室简单汇报了经过，众兄弟对我交口称赞。都说相比之下，他们很羞愧，往往不经意间就伤了父母的心。所谓亲人，就是自己亲自伤害的人……

新闻系几个女生搞了个 DV 摄制组，又是拍又是剪片编片真挺像样儿。有一回我们去千山春游，大伙儿在旅行车上昏昏欲睡，她们贼头贼脑地忙着偷拍。

班长负责保管活动经费，他一边闭目养神一边在心里算账，算不清楚了又把钱从兜里掏出来数了一遍。很不幸，他被偷拍下来了。

回到东大以后，她们请全班同学欣赏纪录短片。里面有情侣携手登山的亲昵镜头，过于热情奔放的还给脸上打了马赛克！有老大歪在车座上挖鼻孔的全过程实录，有唐美往嘴里塞薯片的近距离特写，咔嚓咔嚓的咀嚼声都很清晰……班长数钱的镜头她们剪接处理过了，只见班长把钱掏出来，仔仔细细数了一遍，放回兜里按了按，然后又把钱掏出来了，又数了一遍，接下来又掏出来数了一遍……如是班长一共数了五遍钱，画外旁白说，"我王老五从来也没见过这么多钱哪……"

大伙都快乐晕过去了，都说，"不错，不错，有两下子！"

最近摄制组嗅到一条新闻线索，现在满大街都是新打的大米，食堂给我们吃的还是陈大米，有没有沙子且不去说。

她们提出了几个问题，食堂多长时间没进大米了？如果进了，进的是新米陈米？从哪进的又是用什么价格进的……

导演很激动，领着助手带着设备去暗访，准备搞成一部有震撼力的新闻片，至少也得是"焦点访谈"水平的。

食堂管理员年轻气盛没经验，不知道防火防盗防记者，骂骂咧咧地露出很多破绽。摄制组偷拍了不少好镜头，导演嘴都乐歪了。她们顺藤摸瓜，又跑去暗访管后勤的头头儿。

大家伙都等着看热闹呢，谁知从此就没了下文，跟摄制组的一打听，全都神情忸怩地不肯说。后来传出消息，管后勤的头头儿那是老狐狸，看出来这群披着狼皮的小羊羔来者不善。老狐狸不动声色，当晚在食堂设宴款待摄制组全体成员，大鱼大肉之后软硬兼施，不知道还有什么馈赠，反正结果是这个选题就此拉倒！

我呸！大家都愤愤然，这就是未来新闻工作者的职业操守！寡妇死儿子——没指望啦！

20 授业

我的睡眠质量很差。首先是入睡困难，好容易睡着了又噩梦不断。李蓝是我最大的噩梦，我也想从梦里醒来，可就是因为没有睡够，只有让噩梦继续下去。

第二天我当然眼圈乌黑，头痛欲裂。

一个偶然的发现，奇迹般治愈了我的失眠。记不住是我出席的哪堂课了，是个阳光明媚的上午，望着讲台上老师的嘴巴像鱼喝水似的一开一合，我的意识渐渐模糊……终于轰然倒下。等我醒来的时候哈喇子沾了一脸，但是精神特别地饱满，休息得充分，饭也吃得香了。

从此以后，一坐到逸夫楼的课桌旁，浓浓的睡意立即就向我袭来，我顺势下滑，趴倒在桌子上，又是一个好觉……带枕头来无疑是不现实的，我找个棉垫子铺在桌子上。上课前我尽量不喝浓茶和刺激性的东西，穿的比其他同学要厚，注意保暖……由于对细节的不断完善，我渐渐拥有了日趋完美的睡眠。

那天《写作》课，我很快进入了浅睡眠状态，意识完全消失之前，我听见周围已经有几处轻细均匀的鼾声……

想不到那个阴损的写作老师，讲得好好的，猛然一拍讲台，大喝一声，"话说有个寡妇……"

我吓得扑棱一下子坐起来，身边几个睡觉的也全吓毛愣了，再看写作老师，面带狡狯的微笑，极为平静地接着讲，"……好文章要讲究才、情、趣，缺一不可……"我们面面相觑，谁也不敢相信刚才一声暧昧的大喝是他发出来的，完全接不上茬儿啊，直到周围哄笑声爆起……

写作老师刚届中年，留个板寸，满脸胡子根根直立。他没什么架子，挺好说话的，讲课也认真。有次为了让我们了解何谓"轻移莲步"，他一个大老爷们儿，捏着小丫环的身段，从讲台这头一直蹭到讲台那头，极其卖力也极其逼真，满堂喝彩，尖叫口哨不断。

我们抱怨写作老师，用这种歹毒的招数搅了我们的美梦，未免太过残忍。他也笑，"你们也不容易，好歹还来听课了呢！那你们就给我出出主意，如何提高我课堂的上座率……"

大伙来了兴头儿，抢着胡言乱语一番，最后张宽献计，"老师你可以考虑抽奖，头奖500元就行……"

写作老师挥手止住大家，"行啦，行啦，我欠你们的啊……"既然原定的教学计划已经被打乱，老师让我们利用这段时间写个应用文，假设他死了，为他写个讣告。

大家兴致勃勃地开始埋头创作，为他设计了千奇百怪的死法，写作老师悠闲地踱着步，一边提醒我们，"……语言要精炼，气氛要凝重，别忘了写清楚我有哪些建树……"

从打《数据库》罢考事件以后，文法学院也不好意思了，专业课明显多开了几门，大伙上课也勤了许多。张宽指出，"我们都是交了全额学费的，考试的时候我们只要求60%的回报就满足了，剩下的都算给的小费，我们冤大头啊……"

我说，"像赵赤峰那样的还有奖学金……"

"靠，应该的！一次性消费那么多,凭啥不给打折啊……"

张宽最后总结，"以后有点儿意思的课，还是要尽量去听，不听白不听，能捞回来点儿是点儿……"

看来转变观念真的很重要，大家换个角度去思考了，上课的劲头就足多了。张宽还经常要查查课程表，"看看今天谁坐台……"

文法学院的教授们也是千奇百怪。有的教授肯定很寂寞，见着学生就想一吐为快，先讲 10 分钟他自己家的烂事儿，接下来就骂东大，"啊，东大的教授不如野兽，你就是脑溢血犯了也没人给你出车，还不如个小科长……"看着底下学生们有点走神儿，教授大怒，"叫你们不认真听，考试的时候我出一道题，我孙女的小名儿是什么？答不出来休想及格……"

有的教授就很牛逼，真把讲课变成了讲座，站在前面口若悬河，神驰万里，讲出来的观点惊世骇俗，公认的权威人物都成了大便。把我们刺激得血脉贲张，觉得有幸听过之后自己也跟着很牛逼。

刘学很鄙薄我们的狂热，真人不露相，露相非真人。你们的眼睛咋那么容易就让花里胡哨的东西蒙住，像歌迷似的，傻逼呵呵跟着捧角儿。他说法学系最敬重一位老教授，秃顶布衣，还结巴得厉害。看好他的原因有二，一是既然他说话这么费劲，那么讲的每句话肯定都很重要；二是以他的形象口才，能够在文法学院生存下来，就一定有他的过人之处……

赵赤峰遭遇到的才是东大真正的奇人。给他们讲《中国古代思想史》的老太太，在学术界名头贼拉响亮。老太太讲课不怎么上心，却对祖国传统医学有着浓厚的兴趣。老太太经常给学生开偏方，"乌贼骨粉二钱，白芷一钱，鱼鳞三钱……合酒吞服，可治便秘……"老太太肯定也是勇于实践的，老远就能闻着她身上一股冲鼻子的中药味儿。

赵赤峰浓眉大眼白白胖胖，学习又好，老太太特别稀罕他。一次老太太给他号了脉，发现他什么地方不调，不由分说，取出十多根银针就往他脑袋上扎！针灸过程中，老太太在课堂上闲庭信步，继续开讲王阳明、顾炎武，可怜赵赤峰脑袋扎得像个刺猬似的，惊恐万分地瘫在那里。

学生们从生命安全考虑，纷纷向学院投诉，我们是学哲学的，这里也不是中医学院哪……碍于老太太名气实在太大，学院权衡再三也没敢动她，后来老太太得了急病，自己医治无效，还是转入了医大二院，学院终于趁机将她拿下……

21 节日

这些天我又把全本《笑傲江湖》复习了一遍。看到小师妹岳灵珊移情别恋，林平之的姥爷舅舅狗眼看人低，令狐冲自暴自弃屡遭凌辱……眼泪就如决堤的洪水再也抑制不住了。痛哭之后，想到令狐大侠居然和自己同病相怜，心里又无端地舒服了很多。

幸福的情侣总是相似的，不幸的人各有各的不幸。在不幸的人眼中，情侣的幸福显得更加刺眼。

那天我和赵赤峰回到寝室，灯关着漆黑一片，进去后猛然发现老大和女干事挤坐在床头，彼此都吓了一跳。可以想象，刚才两人雌兔肯定是眼迷离，雄兔也一定脚扑朔了，因为女干事衣衫很凌乱。两人走后，赵赤峰急急推开窗户，"一股荷尔蒙味儿，呛人……"

老疙瘩和木耳更为甜蜜。为了爱情，老疙瘩已经完全不吃猪肉了，连牛身上各个部位他都搞得很明白了，瘦肉叫腱子，肋条叫腰盘，胃叫散袋，屁股叫紫盖儿……

转眼到了 11 月 11 日，传说中的光棍节。刘学、老疙瘩和老大合计了一下，决定请我和赵赤峰两个鳏夫吃一顿，不带女眷。席间刘学举杯向我们俩敬酒，"你们牛啊！什么叫单身汉？就是在大学混了这么多年，你还单身一个人儿，那你真是条汉子……"

那天酒喝得很猛，赵赤峰很快就不知道躲哪儿吐去了。四瓶啤酒下肚，我觉得浑身轻飘飘的好受极了，开始相信啤酒真是花朵儿酿成的……

我晃晃悠悠走出小酒店，扶着路边杯口粗的一棵小树撒尿。抖搂干净以后，我系上皮带想回去，可是使出浑身的力气竟然无法移动分毫。开始我以为喝多了脚底下没劲儿，越来越感觉不对，我的汗毛竖起来了，嗓子都岔音了，"有鬼啊！快来人哪……"

老大和刘学赶过来，俩人一起拉我还是拉不动，他们也毛了……直到酒店的服务员跑过来一看，他乐了，"靠！你系裤带怎么连小树一块儿系上了……"

张宽此刻也恢复了单身，他又瞄上法律系的一个小女生。张宽说一天当中他遇见这个小女生三次，早上在食堂，中午在校门口，晚上又在食堂，相信这一定是缘分，上天注定的。我说，"屁话！文法学院总共屁大点儿个地方，能不抬头不见低头见吗？碰见个美女就是缘分，换个恐龙每天见一百遍你也不说有狗屎缘分啦！"

就像我每天上课，不可避免地要见到李蓝。我坐在最后排，远远望着李蓝消瘦的背影，望到下课也无可奈何，只有收回那道黯然的目光。

有一天上课，坐下来我就觉得不对劲，空落落的好像缺点儿什么。过了一会儿猛然省悟，李蓝没来！第二天李蓝还没出现，我开始慌了，拦住唐美问。

唐美白了我两眼，"李蓝病了，没大事儿，感冒发烧，在二院门诊部住院呢……"

我嗖嗖地往二院跑，完全是两条腿自己的意思，根本没经过大脑。跑到门诊部，我隔着门玻璃找了几间病房，很快就看见了李蓝。

李蓝在靠门的一张床上躺着，手臂上挂着点滴。李蓝睡着了，被子盖到她的下颏，她蜷缩成一团，脸色苍白，眼睛闭得紧紧的。一件粉色的毛衣叠得很整齐，放在她枕边。我轻轻推门进去，心中瞬间升起无限柔情，望着李蓝的样子，我觉得她有点儿冷。

邻床的问我是来看她的吧，我摆摆手，走出门去又撒腿往回跑。回到寝室我抱起我妈找人给我弹的厚棉花被，掉头再往医院跑。

李蓝已经醒了，靠着床头坐着。也许是人有病了就觉得特别孤单，李蓝从一开始就接受我了。李蓝说，我知道你来了，你自己削苹果吃吧，唐美她们买的。

我抖搂开大棉被往李蓝身上盖，李蓝急忙拦住我，"你干吗啊？我不冷，我觉得热……"

我说，"那你铺上，这么薄的褥子，多硌得慌啊……"

李蓝终于扑哧一下乐了，"我不觉得硌，我也不是豌豆公主！护士也不能让……再说你这被子……多长时间没洗啦？有股味儿……"

最后李蓝不经意地问我，"听说你从前那个文艺委员来啦？"

我胸脯一挺，"我这个人没什么优点，就有一样——忠贞！"

反正就这么稀里糊涂的，我和李蓝是莫名其妙地分了手，又波澜不惊地和好了。至于当初李蓝为啥对我那么决绝，她没说，我也没敢问。

　　回到学校以后，李蓝又和我一起打开水了，这标志着我们正式破镜重圆。每天打开水的时候，我都觉得是在进行一种仪式……

22 神偷

　　老疙瘩很痛苦地坐在电脑前。

　　寝室目前总计有四台电脑，除了老疙瘩，刘学和我各配备了一台，老大和赵赤峰合资装了一台——赵赤峰占 60% 的股份，老大占 40%。老疙瘩的显示器最烂，12 寸的，壳子油浸浸的看不出本色儿，但他的主机内存比我们大好几倍。老疙瘩认为，主机就好比男人，有内涵才值钱，显示器就像女人，外在美最关键，重要的是得养眼……

　　兄弟们应用电脑的历程那是很没创意地，几乎都一个模式——开始信誓旦旦要掌握信息技术，争做复合型人才，后来就是打 CS，泡 MM，撩闲，上联众……除了正经事儿啥都干。有个老大哥到我们寝室，只瞅了瞅键盘，"W、R、A、D"几个键子快磨秃了，别的键都还很新，他马上心领神会，"呵呵，CS 的功力挺深哪……"

　　老疙瘩的电脑里面装的东西太多，如今已经不堪重负了。他是扒拉来扒拉去，啥也舍不得删——下载的十几部大片儿，那全都是很经典地，很令人兴奋地。《仙剑》也不能动，那是中国人在 DOS 下做的第一款纯中国风格的游戏，得支持民族工业发展吧？《传奇》绝对不能碰，全国几十万人在线参与，吾辈又岂能作壁上观！"CS 就是俺的命根子……《暗黑 2》倒是很久不玩了,但它的画面精美绝伦,永远的暗黑啊……"

最后老疙瘩仰天长叹一声，把 OFFICE 给删了！

今年"十一"长假，兄弟几个齐刷刷全回家了。眼下正是青黄不接的时候，谁的手头都挺吃紧，回去看看父母，也不麻烦他们再把生活费寄来了……整个五舍差不多走空了。

我是第一个回来的，等到中午，他们陆陆续续都回来了。大伙出去喝了一顿团结的酒，又挨屋看看都带什么土特产了……不觉就到了晚上。老疙瘩在电脑前舒舒服服坐下，打开插座电源，一按电脑的开关，没反应。老疙瘩又使劲一捅，这回咔哒一声，把开关给捅掉了，直接掉到了机箱里面！

老疙瘩很困惑，呆了半天，迟迟疑疑地把机箱盖子打开，发现里面基本空了，CPU、内存条什么的都没了！老疙瘩张着大嘴合不上，一时间他无法理解眼前发生的现实。

大伙如梦初醒，跳起来查看自己的机子，都一样，五脏六腑全被人掏零碎了，值钱东西一点儿没剩下。

"这是出了贼啦！"我的脑袋嗡嗡的，心脏狂跳不止，只觉得口干舌燥……我从小就这个德性，就怕出现这种事情。小时候到大舅家玩儿，一罐子牛奶糖不知道让谁偷吃了，一块都没给留。大舅把家里几个小孩召集起来，吓唬我们，"谁偷吃糖，他的嘴唇肯定干……"我明明啥坏事也没干，就是紧张，就是觉得嘴唇干，忍不住就去舔，偷偷舔……结果大家都认定是我偷吃的，我绝望地跑出去要跳河！

现在童年的噩梦又重演了，我控制不住自己，上蹿下跳地找，床底下也钻进去看，甚至夸张地挨个打开茶杯盖，看看里面是不是藏着主板显卡……如果此时照照镜子，我都得承认自己确实很有贼形，表现得也太慌张了。还有，我是第一个回来的，作案时间很充分，寝室的门窗又全都完好……

"哎呀！还丢了两个暖壶！"赵赤峰大叫一声。果然，窗台上五个暖壶就剩下三个了。"这是个什么损贼啊？"大家很迷惑，议论纷纷。我的脑袋猛然灵光一闪，刷地就像触电似的。我毕竟是受过日本推理小说熏陶的，现在我的脑海里基本可以描绘出一幅案发现场当时的画面，"这不是内盗！这个贼也许是五舍的，也许不是，反正是个高手！他观察到我们寝室没有人，就在一个夜晚潜了进来。我们屋的门关不严，上回刘学用饭卡就捅开过……他直奔电脑而去，熟练地拆下需要的东西，装在包里。此时他侧耳一听，楼外面远远传来了说话声，再有放假期间楼里进出的人很少，他怕看门大爷记住他……他灵机一动，抄起两个暖壶，带上门，镇定地走下去，谁会注意一个打开水的学生啊……来到无人处，他丢下暖壶，四下张望了一阵，转身消失在茫茫夜色之中……"

"我靠，也太玄了吧！"他们将信将疑。刘学还有闲心要贫嘴，"白话得有鼻子有眼儿，就好像是你干的……"

"别满嘴喷粪！"我刷地把脸撂下来了。

大伙瞎忿忿了半天，最后刘学和老疙瘩去保卫处报案，我和赵赤峰到外面四下踅摸踅摸。没想到在水房后面的墙根底下，我们的俩暖壶竟赫然躺在那里，一点都没坏！打开盖子，里面的水还带温乎气儿呢。

刘学到保卫处报了案，保卫处又报告南湖派出所，警察过来看了现场，挨个找大伙谈话……折腾了快一个月，案情却毫无进展。大伙猛表扬我，年纪轻轻，破案的本领已经超过了人民公安，好歹找回来俩暖壶，挽回了部分损失……

就在大家已经基本不抱指望的时候，案子破了！神偷就是法学系的×××，下届的一个小崽子，见我们面还总大哥大哥地叫呢！这小子以为风声过了，跑到三好街销赃，被蹲坑的警察一把按住了……

"人民警察万岁！把×××碎尸万段！"我们恨死这个啃窝边草的小贼了，琢磨着等他出来暴打他一顿，赵赤峰说，"别傻了，这次没个三年五载的他放不回来！"

不料几天之后，事态又出现了新的变化，×××在看守所里要求找律师，而且点名就要法学系那个秃头结巴的老教授，做他的法律顾问，看来不光刘学一个人慧眼识英雄啊！也不知道老教授当时是个什么心情，反正他去了，而且不辱

使命,运用深厚的专业知识,给他的学生争取来一个不予起诉。

　　×××一放出来,东大立马就把他开除了。×××走的那天,没来和我们告别,我们也都没去送他……

23 负心

　　整个大三我过得很混沌!

　　等到系里最寒碜的丑女也看习惯了,食堂的饭菜也不觉得恶心了,又约摸打了几百壶开水的样子,我就成大四的人啦。

　　大三后半段还有两个特点:一是学生会的位子不怎么值钱了,好像太平天国晚期,连马夫都能封王,只要你不是除部长、主席不肯屈尊,混个副部级也很容易……二是女生们不那么娇贵了,原来的金枝玉叶纷纷向民间俯就,校园里很多歪瓜裂枣的男生,都挽着一个或长发或短发的姑娘。

　　张宽虽然极其歪裂,但胳膊上还是空荡荡的,孤独的人是可耻的。张宽把目光投向了下届和下下届,参加迎新活动特别积极,尤其乐于给小女生送温暖。我们骂他老牛还想啃嫩草,张宽说,"别说那么难听,花开之前,先要有花苞;花苞形成前,先要有嫩芽;目前我所做的就是寻找嫩芽的工作……"

　　张宽借钱的时候,风格是很迂回婉转的,如果盯上了某个女生，他就变得霸气十足，从正面猛打猛冲。小女孩涉世未深，一不小心就被他得了手……

张宽很幸福，说现在这个女友虽然年龄小点，很懂得感情，知道疼男人，把他捧在手心里怕摔了，含在嘴里怕化了！

我们都说，这个小女孩怎么不知道干净埋汰呢？像张宽这种大便，她居然也肯捧，肯含……

大三的校园，爱情之花处处绽放。这些人都以为迎来了浓浓的春意，想不到其实还是暖冬，寒流来了一死就一大片。

张宽的爱情也遭了雹子，有个更霸气的大二猛男中间插了一杠子。这厮是体育特招生，肩宽背阔浑身肌肉块儿，张宽的小女友显然更愿意去捧去含。张宽在寝室里憔悴了三天，冲出去找那个负心人。

小女生正甜蜜地依偎在猛男怀里。张宽看着猛男乱蓬蓬的头发，悲从中来，从牙缝里挤出四句话——"天龙寺外，菩提树下，叫花邋遢，观音长发！"说完扭头就走。

猛男咂摸半晌，觉出味儿来了，追上张宽就一顿暴打。张宽抵挡了两招就被踢趴下了，血顺着俩鼻孔往下淌。猛男指着张宽骂，"知道为啥打你吗？你要说鲜花插在了牛粪上我都不能动手儿！谁没看过金庸咋的？欺负我没文化啊？"

张宽本来准备认栽了，小女生又赶过来，指着张宽的鼻子，"你不是个男人！"张宽登时大怒，爬起来抹了一把脸上的血，"我不是个男人？那天晚上你怎么一直喊你真棒你真棒?!"

张宽说完扬长而去，留下小女生疯了似的号啕痛哭，猛男戳在那里，脸色阴沉得吓人。

回到寝室兄弟们帮张宽清洗伤口，安慰他风雨中这点痛算什么，擦干泪不要怕至少我们还有梦。张宽神色木然，最后长叹一声，"妈的！我还是去说一下，本来想让他们吞个苍蝇恶心恶心，她确实冤枉……让狗男女幸福去吧！"

张宽说他这是赢了人格，输了爱情。

我们猜老大和女干事八成早就你中有我了，只是查无实据。忽然一天传来噩耗，说他们也断了，肯定是老大提出来的，因为刘学听见老大对女干事说对不起，一般两个人中说这句话的就是赢家。

女干事找老大谈了好几宿，最后绝望地离去了。女干事在泪雨滂沱中，反复痛骂老大的只有两个字，"骗子！骗子……"

不久老大就傍上了他一个女同乡，比女干事还砢碜，朝天鼻子，上半身极为修长。后来一打听，女同乡的爹爹是他们县里的组织部长。

这回我们对老大动了公愤，其实女干事也挺烦人，可老大也他妈太不是东西了，一是始乱终弃，把人家祸害了拍拍屁股就走；二是根本不存在感情问题，简直就是卖身求荣啊……

老疙瘩当面就骂老大，"知道你有出息，你从小就立志要给组织部长舔屁股，那你早干啥来着？……我们家副市长还有个瘫闺女呢，你要马上让你当局长……" 老大开始还硬撑着笑脸，想解释几句，"没事没事，你们不用拦着，我知道老疙瘩也是为我好……" 最后老大受不住了，脸色由青变紫，终于咣当一声摔门而去。

老大自己出去喝了酒了，眼睛通红，回到寝室死活要拉大伙再出去喝，就差没跪下了。杀人不过头点地，弟兄们心一软，跟他去了。

老大又咕嘟嘟灌下两瓶酒，瞪着血红的眼珠子，开始说，

"我是软蛋！我不要脸！我抱女人的大腿……

"你们以为我不想挺个胸脯做人哪？我不想在兄弟们面前，在老婆孩子面前牛逼哄哄啊？可是我会啥啊？我啥也不是！

"我也想跟赵赤峰那样好好学，长点儿真本事，可是太苦啦，太累啦，我学不下去了……

"我们家那县城什么样儿你们知道吗？大学生分配的那都叫什么工作啊？我爸在文化局，一辈子也没当上科长，太难了……

"找个好老丈人我能少奋斗十年！我，我错了吗？十年哪……"

老大的老脸上堆满皱纹，嘴唇哆嗦着，几滴浑浊的老泪从眼角流下来。兄弟们谁也不吱声，我们的气儿都平了。我们有啥资格埋汰老大啊，都是天涯沦落人，将来自个儿的梦还不知道咋圆呢。大伙对视一眼，端起了酒杯。

"老大，都不容易！今天看在你头一遭说了这么长一番人话，我们原谅你啦。"

老大也不知道听见没有，继续呻吟，"十年哪……"

"行啦！行啦！"

"十年哪……"

那天晚上我们喝到半夜都高了，心里也不那么堵得慌了。

老大的嘴已经完全没了把门的，斜个醉眼看赵赤峰，"其实我一直挺嫉妒你，今天我要不说，你一辈子也别想知道！你那破书，是我扔的，你那 U 盘，是我泡酒里的……"老大拍着自己胸脯，"我，你，你给我个大嘴巴吧……"

大伙吓了一跳，又接着喝，其实早就该想到是他了。老疙瘩说，"那，那随身听肯定也是你摔碎的了……"

老大一拨楞脑袋，"不是！"

大伙一惊，还能有谁啊？

老大嘿嘿干笑一声，"那是我用脚踩碎的……"

24 天灾

早上八九点钟的太阳射进房间，刺痛了我的眼睛。昨晚我梦见自己是个前朝穷书生，和宰相家的小姐在后花园私定终身……一开始宰相暴跳如雷，但他怕出丑闻，只能想办法栽培我，他给了我三张卷子，说拿去背熟了，只要能过全国统考，专业课他说了算，今年的状元内定就是我了……

"嘿嘿，嘿嘿！"本来我以为自己在梦里美出声儿来了，睁开眼睛一看，是刘学坐在电脑前傻笑呢。

刘学乐不可支，"没承想白山黑水 BBS 上还真有高人！有点意思，有点意思！

"材冶学院更名达摩院，软件学院改称怡红院，文法学院改名丽春院，还有敬老院、美容院、疯人院……强烈呼吁改版东大各学院！"

"信息学院改成什么名儿？"老疙瘩急问。

"巴黎圣母院！"

"为啥？"

"就因为有你——钟楼怪人阿西莫多！"

这个帖子的确不俗，下午哥儿几个在校园里溜达的时候，瞧着各学院的大楼，脸上还都是笑吟吟的。

东大的建筑分为风格迥异的三大类。一类是 50 年代俄式钢筋水泥建筑，如采矿馆、冶金馆……据说当年照搬了莫斯科大学的格式，让我们有幸领略到莫大的庄严与死板。第二类是八九十年代澡堂子式的建筑，不过把瓷砖贴在楼外面了，如校部……第三类是最新建筑，如汉卿会馆……特点就是新。

经过大学生活动中心，我们研究了半天，这楼不知道谁设计的，酷似一副剔干净了的牛骨架。

同学们要照相还是喜欢选 50 年代的老楼做背景。

这两年东大海外校友捐了不少美金，新楼像雨后的蘑菇不断往外冒。原来游泳池的位置不知道又要盖什么，挖了一个老大的深坑，我们叫它万人坑，估计把东大全体师生活埋进去绰绰有余。

宿舍楼里现在五舍是最破的，因为原来更破的六舍扒掉了。相邻的一、二、四、九舍，条件都要好得多。尤其一、二舍，最牛逼之处在于楼下即餐厅，里面的焦熘肉段脍炙人口……

这几天二舍正在翻新，四面搭了脚手架子，电焊的弧光火花飞溅。大伙还骂呢，怎么不修修五舍，连补救的价值都没有了吗？舍管老师在楼外面贴了张告示，让我们注意安全防火……他还真是位先知。

晚上哥儿几个睡得迷迷糊糊的，听见外面人声鼎沸，睁眼一看，窗户照得通亮。老大嘟囔着，"几点了？"拉开窗帘，我靠，二舍那边火光一片，消防车的汽笛刺耳惊心。

哥儿几个抄起洗脸盆就往楼下冲，走廊里噼里啪啦乱成一团，等我们跑到二舍楼下，火已经扑灭了。楼底下黑压压的全是人，听说火是从五楼最南头的一间屋子先烧起来的，波及了三四间寝室。火势不是很猛，人都跑出来了，看见那个光着脚丫子唾沫横飞的小子了吧，他们屋其实还没窜过去火苗呢，就冒了点烟，倒是让消防水龙头冲得够呛，所以说遭的竟是水灾。

这一宿大伙兴奋得都没怎么睡。第二天，官方宣布查清了失火原因，是由于电焊工人违反规定，接了一根什么电线，不知道为啥就着起来了……

万幸的是此次基本上没有人员伤亡，说"基本"是因为大鸟受了伤。当时听说着火了，大鸟激动地呐喊一声，"有新闻的地方就有我们!"她是把闾丘露薇当作偶像的，结果在冲下楼梯时大鸟摔了一跤，脚踝关节脱臼……大鸟也是本次火灾当中唯一的一个伤者。

着火的几个寝室全是土木学院的，烧掉了一些棉被褥子，当初学校强制购买的保险还真派上了用场。一个小子直后悔，怎么就没趁乱把绘图作业扔火堆里，来它个死无对证呢。真正损失惨重的只有一个江西人，大四的，这位兄台是位考试超人，几年来考下了一摞证书，有四六级证、CCNA 网络认证、ADOBE 平面设计师证，还有一张工程预算员资格证……平时这些证书都珍藏在她女朋友那里，前几天两人闹别扭，刚拿回来放到褥子底下，可怜多年心血化为灰烬。

这兄弟快疯了，她女朋友也急眼了，两人找到学校，学校很负责任地给他出了一张证明。

回来以后这兄弟左看右看，越看越不放心，一摞子硬邦邦的证书如今变成了薄薄一张白纸，"现在博士证都能造假，这一张破纸人家能信吗?"

别人安慰他，"上面不是还盖着东大的红印章嘛。"

"靠！这种章子找个萝卜都能刻啊！"

此后这位仁兄神情日渐恍惚，看人眼睛直勾勾的，夜里还经常喃喃自语，"我混哪，我为啥要跟她吵架啊，也不用把证书拿回来啊？那么厚一摞儿——四级的，六级的……"如泣如诉的独白，在深夜里分外瘆人。

后来他发展到畏光怕火，见到打火机都浑身哆嗦。女朋友也追悔莫及，两人在一起不是沉默就是争吵。

最终这位兄弟和女朋友分了手，他说自己没法接受这个现实，每次见到女朋友就会勾起痛苦的回忆，反复刺激他……

25 人祸

瞿塘嘈嘈十二滩，
此中道路古来难。
长恨人心不似水，
等闲平地起波澜……

这首《竹枝词》写的就是我。刘禹锡在唐朝就预见到，人性的卑污与猜忌，让我亲手毁灭了视若生命的一段感情，人世间最残酷的莫过于此……

那天我躺在床上已经醒了，听见刘学开门进来，我懒得搭理他继续闭目养神。过了一会儿我睁开眼睛，猛然发现刘学的脑袋正俯在我床头，直勾勾地盯着我。妈呀一声我吓得坐起来了。

刘学的脸上同时变幻出惊异、同情、艳羡几种表情，"嘿嘿！隐藏得很深啊，你个色魔！"

刘学鬼鬼祟祟地往我身边凑，我推开他，"离我远点，有话就在那儿说。"

刘学还是凑过来，把声音压得很低，"若要人不知，除非己莫为！还真不是我有意偷听，刚才我蹲在水房东墙根底下抽烟，李蓝和唐美就从我前面走过去，听见唐美说知道你难为情不敢去，我替你买回来了——孕婷！李蓝还说我不要，可能没什么用，我亲眼看见唐美给李蓝一板小药片，王小旗，别装了，这回你的麻烦大了……"

我觉得自己就像让人从十层楼顶上推下去，摔得脑浆崩裂，血肉模糊。怎么穿上的衣服怎么从寝室冲出去都不知道了，就记得刘学要拉我，我狠狠一拳砸在他胸口上，刘学被打蒙了……当时我脑袋里就一个念头，哪个王八蛋干的，我剁了他，然后我也不活了！老疙瘩抽屉里有一把折刀，我抄起来揣在兜里。

在逸夫楼大门口我追上了李蓝和唐美，当时我的脸肯定扭曲得很狰狞，唐美说好像疯狗一样。我抓住李蓝的胳膊，"……嘿嘿！你们把我当傻子啊……怎么不把这小杂种生出来啊？我养活他，给他当后爹，我是活王八……"我已经完全丧失理智了。

李蓝脸色惨白得像张纸，就说了两个字，"你滚！"

两个小时，仅仅两个小时后，一切真相大白。唐美用看一摊臭狗屎的眼神看着我，"王小旗，你算个什么东西？你的心理原来这么阴暗哪！女孩子脸上起痘，吃孕婷有效果，我们也是刚听说，也不一定真试……从今天起，我彻底地鄙视你！下流！狭隘！自私……"

我想，这次李蓝从我的生命中是永远地消失了。

除了刘学、唐美、李蓝和我，再没有第五个人知道这件事。刘学一见我就躲得远远的，怕我对他下毒手。其实我已经没有那个气力，一夜之间我这个人枯萎了……

有时候我想，自己可能真有点什么心理疾病。以前刘学说我自虐，我说不是自虐是忘我！现在我经常一个人沉溺在幻想里——多年以后，李蓝红颜老去，白发苍苍……我还陪在她身边，我们手挽着手，蹒跚走向夕阳下的湖边……然后我就哭了！

有时候我还忍不住会想，如果那天刘学叫汽车给撞了，粉碎性骨折，他就不能跑水房墙根底下蹲着去了；如果刘学碰上了天山童姥，用针把他的耳朵刺聋了，再灌上水银，他就什么也听不见了；如果那天唐美的舌头生了毒疮，有口难言，这一切就不会发生了，多好啊……猛地我悚然警醒，这么恶毒，还真是有病……

赵赤峰说小旗你还是跟我看书去吧,他摇头叹息,"你和刘学脑子都很聪明,可就不往正地方用。一个把玩儿当事业,一个把女人当理想……叫人看了丧气,又替你们的妈妈伤心……"

赵赤峰真的没出过任何绯闻,大学四年,女人对他还是山下的老虎,是传说中的神秘动物。赵赤峰很谦逊地说,自己的定力也不够高,有时难免也眼热心跳,所以干脆敬而远之一了百了。

于是我又开始了和赵赤峰出双入对的日子,每天出没于图书馆、自习室,此间我饱览了大量哲学典籍,发现很多哲人的思想都是相互矛盾的……

那天我和赵赤峰在食堂吃饭,赵赤峰忽然从饭盒里舀了一勺子葱爆肉片,递到我嘴边, "小旗,你尝尝,尝尝!"

通常这是情侣之间的小动作,我们两个大老爷们儿……我四顾无人注意,扭扭捏捏地吃了。

我刚把肉片咽下去,赵赤峰又问, "是不是臭了? 食堂最近老卖剩菜,倒了吧……"

26 出 头

那天下午,我百无聊赖,坐在校门外冷饮屋里, 看外面斜斜的雨和匆匆的行人——都忙些什么啊？

校门口，不断有人和保安发生冲突。

同学们和保安彼此看对方都很不爽，平日里保安不说是耀武扬威吧，起码有点儿拿鸡毛当令箭。刚入校我们还曾经有过制服崇拜，现在已经是老土地了，明白这帮人扒了那张皮就是民工，还想管谁呀？而保安们对学生的评价就俩字——混账。

比如今天，保安冒着雨，在校门口挡住所有出租车，一律不得入内。很多人骂骂咧咧地从车里钻出来，估计走回宿舍楼，差不多也就让春雨滋润透了。有个红脸膛的小保安，工作特别认真，老远见着出租车就啪啪打手势。他们只管出租车，过来一辆老气横秋的破桑塔纳马上放行，还屁颠屁颠地敬礼！

红脸膛又拦住一辆出租，里面坐着两男两女，女的怕弄脏了名牌鞋说什么不肯下车，男的把脑袋探出来破口大骂，边上一些学生也都围过来跟着骂，我急忙赶过去，看看能不能出点事儿。

红脸膛小保安有点气馁，车里俩男生得了势，冲下车来揪住红脸膛，连推带搡，"你放不放？放不放？"周围几个别的保安都没敢上前儿，红脸膛明显软了，估计再挺一会儿就要屈服了，想不到那个男生不肯等，扬手啪啪给了小保安俩嘴巴！

　　这回实在是过分了，打人不打脸啊，周围的人都跟着哆嗦了一下。小保安红了眼，照这个男生胸口就是一拳，另一个男生从后面把红脸膛撂倒了，俩人上去一顿猛踢……这时候那几个保安还缩在后面，从传达室里冲出两个穿制服的，和俩男生对打起来。冲出来的两个保安，看上去比红脸膛大几岁，个头儿却比他还小，双方一场混战，都没占到便宜……

　　忽然从学校里跑来一拨人，手里头拿着砖头、球棒，估计是车里女生打电话勾来助拳的，三个保安见势不妙，拼命挣脱出来，跑回传达室，别的保安也跟着跑进去，锁了大门。

　　一帮学生把传达室围住，刚要踹门砸玻璃，东大保卫处的同志们赶来了。车里两个女生跑出来恶人先告状，说保安动手打人，学生的人身安全还有没有保障了？俩男生捂着半边脸不吱声，助拳的纷纷帮腔，"……保卫处得给我们个说法，处理不了我们找学校……"

　　三个保安急赤白脸地争辩，本来说话就带点地方口音，保卫处又明显有了倾向性，他们一张嘴就被打断，"你先别说，先听学生的！"红脸膛的眼泪都下来了，看他嘴唇上一圈细绒毛，可能就十五六岁……

　　我忽然觉得心里一阵燥热，也没想什么，晃晃悠悠就站出来了，"咱们说话凭点良心吧，我看见了，学生们先动的手……"

　　人群刷地鸦雀无声，我心里也发毛，偷着瞄瞄助拳的一票人马，里面颇有几位在学校横晃的强者。靠！老子怕谁呀？老子现在是哀莫大于心死，就想找个人揍一顿或者让他揍我一顿。我眼睛往上一翻，谁也不尿。

保卫处的人看我像看个怪物，心想怎么冒出个叛徒来啊，他们说，"既然你说……那你跟着过来写个证明吧……"

"写就写……"

写过材料以后很长时间没了下文，我以为这事儿就算不了了之了。又过了些日子，发现校门口那三个保安看不着了，估计是叫学校给开了……这场架打的，最后还是分出了输赢。

开始我还有点戒备，怕那几个学生找我的麻烦，过了很久一点动静没有，可能是被我一身正气震慑住了，慢慢地我也忘了……

女棋圣现在越来越贤妻良母，把刘学伺候得跟老太爷似的。除了每周把《体坛周报》准时送到刘学案头，风雨无阻，刘学的衣服还没怎么见脏呢，扒下来就给洗了，连衬衣、袜子都洗，就内裤不管。她还给刘学订了一份牛奶。

刘学打扮得溜光水滑的，坐在那咕嘟咕嘟喝牛奶，我们在旁边气忿忿地盯着他。

刘学不好意思了，"要不，你们也喝一口？"

"不喝！正泛酸水呢……"

那天，我和刘学兴致勃勃地扯淡，女棋圣来找刘学逛太原街。

我说正好一起去，我想买管牙膏。

女棋圣不高兴了，"就一管牙膏，你在超市买个得了，要不，我们给你带回来。"

我拨楞脑袋，"不行！实话说了吧，就怕你俩太腻太幸福，就是想在你们中间插一根钉子——眼中钉！"

刘学赔着笑脸，"一起去，一起去。"

我还得寸进尺，"不去太原街，外地人才去那儿买东西呢，要去就去中街。"

女棋圣快疯了。

在中街逛了一下午，女棋圣和刘学买了两大包吃的用的，我寸步不离地跟着他们，牙膏也不买了，我没带钱，女棋圣也不肯借给我。

天快黑了，我们正要往回走，刘学突然想起来，"下礼拜就是中秋节，给木耳买盒月饼，清真的……"

我和女棋圣对视一眼，目光都有点暖洋洋的，我说，"这小子心还挺细，我要是有个外甥女……"

走出兴隆百货，我正琢磨着是否到老边饺子馆再宰他们一顿，迎面过来个小子，捂着脸，走到女棋圣面前，突然把手里的东西往地上一摔，"你他妈走路不看着点儿，瞎撞啊，赔我眼镜！"

我和刘学心头雪亮，这回是遇着流氓了。刚辩白两句，身边围上来几条汉子，脸上都写着我是坏人。女棋圣说我要报警了，一个混子拽住女棋圣的领子就把她抡地上了。刘学嗷的一声红了眼睛往上扑，有人从后面勒住他的脖子，我也重重地挨了几脚，心想，这回要吃大亏……

给木耳买的月饼都甩在地上，有的滚出去很远，有的踩扁了。

27 本钱

仿佛神兵天降，从对面皮草行里冲出七八个保安，手里都拿着短棍，照着这群混子劈头盖脸就打。我看见里面有一个正是东大校门口的红脸膛！他现在手黑多了，一棍子下去，对方脑袋上就见了血，红脸膛眼都不眨，又一棍子抡过去。

几个混子轰地跑光了，保安还追着打。红脸膛过来扶起我，"大哥，你还记得俺不？"

我说，"记得！记得！"

红脸膛把几个同伴招呼过来，里面还有一个参加过东大校门之战的。他俩说，"大哥，那天你真够意思！俺们三个是同村的，都让东大开了，俺俩到这儿来了……这几个都是俺们的拜把子兄弟！"

"俺俩老想去找你，就是不愿再回东大。兄弟们，这就是俺常叨咕的大哥，对俺俩有恩哪！"

众保安都很热情，非要拉我们去喝酒，没准儿最后还想一起结拜。我和刘学都有点儿想去，看女棋圣明显不乐意，只好说今天必须得回去了，多谢救命之恩，改日再聚。

红脸膛很爽快，"好！以后大哥有事儿捎个信儿，没事儿就来找俺们玩儿！"

有个保安撕下来一条报纸，把大家的小灵通、电话号写下来了。

我说，"那些混子能不能来报复？"

红脸膛一摆手，"那是骗小钱的没多大尿性，在这一片儿都提不上溜儿……俺也想明白了，出来混就得抱团儿，谁要惹乎俺们就往死里干他！"

回东大的路上，刘学很感慨，"多亏你那保安朋友了……成长得多快啊！他挺有老大气质，千万别小瞧了，没准儿就是未来黑社会的雏形……"

女棋圣有惊无险，心情好多了，"今天刘学挺勇猛的，下回别这样了，寡不敌众咱们就跑，让王小旗顶着……"

我刚想回嘴，女棋圣冲我一翻白眼，"平时不挺能吹的吗？什么面对数倍于自己的敌人感觉更加兴奋，每次都能大智大勇，以弱胜强，消灭敌人——救出人质，敢情儿那都是在 CS 里啊！"

我和刘学都不吭声。

最后女棋圣仿佛自语般，轻轻叹了口气，"下辈子嫁个保安吧，真的好有安全感啊……"

刘学深受刺激，回来后他什么也没说，先买了本健身教材，又置办了一套器械，日以继夜地开始练块儿。刘学干什么都有股狠劲儿，那绝不是闹着玩儿的。他照着教材制定了一整套训练计划，"有氧动作40分钟，器械动作40分钟，恢复性动作40分钟……重复整个过程……"

这种锻炼强度相当大，刘学凭着顽强的毅力，头两周愣是抗过来了。基本适应以后，他又开始给自己加码。

又练了一段儿，刘学感觉不对，怎么身体好像越来越虚呢，有时候还头晕。刘学对着书本研究之后，找出了问题所在是营养没跟上。每天高强度的体力支出，却没有补充足够的能量，这是减肥而不是健身。刘学首先调整了锻炼计划，把强度降下来一点，又制定了营养食谱，除了三餐保证卡路里摄入，每天定时有三次加餐：上午9点30分，5个鸡蛋或水煮或蒸鸡蛋羹；下午3点，300克炖牛肉；晚9点，5个鸡蛋或水煮或蒸鸡蛋羹。

刘学提溜个破筐，三天两头跑菜市场。一天刘学又去买鸡蛋，瞧见我们学院一个教授正在卖鱼摊子前面蹲着，刘学问您忙哪？教授用手一指，"鲤鱼活的5块，死的3块，这两条眼瞅着就不行了，我正等它咽气呢！"刘学回来一学，我们都咋舌，"有头脑！有头脑！"

刘学就用寝室的电饭锅炖牛肉，香味儿一个劲儿往鼻子里钻，我们都快馋疯了，围前围后帮忙看锅加作料，就为了跟着混口汤。到后来大家开始可怜刘学，天天塞进去 10 个鸡蛋 6 两牛肉，一打嗝儿都是鸡屎牛粪味儿，谁也受不了啊。

最后刘学终于吃出毛病来了，刘学自己去住了几天院，谁也没告诉，女棋圣都快急疯了。回来后刘学默默无语，把健身器械收拾到床底下。晚上，他跟我说了，"急性胃炎，暂时怕不能再继续练了……"

这件事给刘学打击很沉重，因为他过去极少有半途而废的经历。

我安慰刘学，"别从基础练起了，练点儿有针对性的。比方说光练打沙袋和短跑，上肢强大咱可以打倒对方，下肢有爆发力，打不过就跑……"

刘学不吭声。

刘学倒下了，但是他把寝室里锻炼身体的好风气带动起来了。兄弟们说身体是革命的本钱也是反革命的本钱。现在老疙瘩天天练哑铃和俯卧撑，他做俯卧撑的时候我们就阴笑，说为了明天的幸福，撑住。老大和赵赤峰早上出去跑步、做体操。他们做操的地方正好是夕阳红太极拳健身队的活动场地，每天老头儿老太太的音乐一放，就把他俩拐带过去了。慢慢地他俩对太极也产生了一点兴趣，开始在后面跟着练，越练还越着迷，如今老大正练陈氏太极，赵赤峰的杨氏太极三十六式，已经打得像模像样了，俩人都精神矍铄，红光满面的。

我的身体越来越差，锻炼也没用，我这是心病。我在《心理学基础》里面看到三个案例，第一个是患得患失的猫，说把猫关笼子里，每次猫一踩按钮，就给它喂吃的和水，同时还电击它一下，猫又想吃东西喝水，又怕触电，进退两难，一段时间后彻底崩溃了。第二个是负担沉重的猴子，把俩猴子关一个笼子里，隔几个小时电击他们，但是猴子一踩按钮，电击就取消了。俩猴子有一个被捆起来了，只有一个手脚能动弹，它每天提心吊胆的老紧张了，觉得差不多到时候，赶紧过去踩按钮，不久它就得心脏病挂了。而那个捆起来的猴子，反正也动不了，听天由命吧，结果它倒活得挺结实。第三个是无所适从的狗，给狗看圆图形的时候就给它肉吃，看方图形的时候就电它，等它习惯了，再逐渐把方图形的角钝化，一点点变圆，狗搞不清了，是要吃肉还是要电它啊，很快狗就疯了……

我现在整天想的就是李蓝，心理负担过重，患得患失加上无所适从，身体能好得了吗？

我想真应该善待自己剩下这半条小命儿，所以最近我每天都爬起来吃早饭。老疙瘩现在越来越生猛，早上不吃饭，买俩奶油冰棍儿嘎嘣嘎嘣嚼了，说相当于喝了一杯牛奶，和刘学一样了！就像这么个祸害法儿，老疙瘩的胃竟然还一点毛病没有。

我的胃倒是老疼，牙也疼……

28 福利

全系我最晚知道实习开始了。因为这段时间很少去上课，信息闭塞，不晓得天下大势——食堂的茶叶蛋都涨到 8 毛一个了。

我和老大被分到电台交通频道，中波 863，调频 FM99.9。其他同学有分到电视台的，也有分到报社的，老大不太乐意，说电台是弱势媒体，夕阳行业。有高人劝我们，实习的地方不要太好了，将来毕业了留不下，几个月等于白干……

我在电台最大的收获是见识了什么叫延迟钮。长期以来有个问题一直困扰着我：电台正直播节目，如果有个家伙喝高了，把电话打进来满嘴喷粪，那不出笑话了吗？别人告诉我，人家电台有导播，像这种电话根本不往里切。我还不放心，要是他开始彬彬有礼，半道上不说人话了怎么办？如今进了直播间，看见主持人手边有个红钮就是管这个的，原来电台的直播节目也不是绝对即时同步，从你说话到播出，中间有三分钟，听到不对味儿，主持人按下红钮就能把这段掐了，换上点音乐……我终于踏实了。

电台里进进出出人很多，有正式的，有临时工，我俩分不清一律叫老师。交通台有正副两个总监，不知道为啥台里人管他们叫大叔、二叔，文化人儿愿意整景儿，我们也跟着叫。

刚来时我和老大想，估计不能让我俩播音主持节目，我们普通话都比较烂，也就是撰撰稿，采采访啥的吧，后来看我们还是过于乐观了。一个月下来我都想不起自己干过什么了，反正都是些零活。

有一次，"新闻碰碰凉"主持人李老师让我把她的节目稿打印出来，十几张纸打完以后，我很敬业地用钉书器钉好送过去。李老师白了我一眼，"咳！小帅哥，没人告诉你咱们的稿子不能钉啊？一翻页哗啦哗啦响，从话筒里不就传出去了吗……"我欣然接受指正，不光因为她管我叫"小帅哥"，人家确实让你长了见识。

新闻部主任杨老师平时不苟言笑，就是爱喝点儿小酒，一喝还就高。他喝多了不是找个地方睡觉，他喝多了专门骂领导！那天中午有客人，杨老师又喝猛了，回到办公室就大骂总监，先骂大叔再骂二叔，骂完了二叔再骂大叔……老大和我吓得够呛，别的老师都笑呵呵地不当回事儿，"他就这样，每月都有这么几天……"

过一会儿楼上下来个女同志，她二话不说，拿眼睛一瞪杨老师，杨老师的酒立刻就醒了。女同志哼了一声转身回去，杨老师自己跑盥洗室用凉水洗洗脸，回来以后该干啥干啥。别人告诉我们，那女的是杨老师的媳妇，也在电台，楼上财务科的。

我们总监丝毫没有打击报复杨老师，相反对他特别重视，开会的时候经常问，"老杨你怎么看……"我很佩服领导的胸怀，有个不怎么进步的老师嗤的一声冷笑，"这正是大叔二叔手腕高明的地方，老杨都骂我们了照样受重用，够仁政吧？我要再收拾谁，别人还能放什么屁……私底下老杨和领导关系好着哪，总打小报告……"

我听得浑身发冷。

过了一段儿，电台让我和老大出去跑广告，有个老业务员带着我们。台里也不指望我们真能谈成，大部分可能的客户源早有广告部的人盯着。我和老大充分领会了台里的精神，送出去几份报价单，果然一份儿也没谈成。

沈阳接连下了两场大雪，打车成了难事儿，那几天台里老有人迟到。沈阳有个晨龙出租车公司，他们的车都喷成蓝色，管理也比较严格，沈阳人都挺认它的。晨龙有个叫车电话：865567899，平时打个电话，一般10分钟内车就能来。这回大雪晨龙的电话被打爆了，大家都骂，说他们把电话线拔了，一到关键时候就拉稀……其实晨龙就是接了电话，肯定也派不出车来。现在出租车火得几拨儿客人往一起并，后座上都塞五六个人，谁能特意去接你啊？

　　我脑子里灵光一闪，觉得是个拉广告的好机会。查到晨龙公司总部在北陵公园边上，老总叫李万春，第二天我就去了。

　　晨龙办公室的秘书小姐告诉我老总不在。我摆出一副很牛逼的样子，说我是给公司送企划方案来的，必须跟老总面谈。秘书小姐说老总的确不在，您可以把文件留下，也可以再约时间。

　　等了半天我看也不是个事儿，只好先回来了。晚上我琢磨了半宿儿，给晨龙老总写了封信。

　　"尊敬的李总：……我是从事企业营销策划专业的……在沈城的出租汽车行业中，晨龙公司经营最为出色，知名度最高……所以冒昧给您写信，是因为这次大雪，听到了一些对晨龙的负面议论……事实上大都出于误解，但从营销策划的角度看，我认为公司确有失误之处，在此斗胆指出……

　　"此次矛盾的焦点在于晨龙的叫车电话无人接听，我理解这是因为线路容量超负荷，但是能不能临时聘几个人接电话，她们只要负责对用户亲切致歉就行……能不能搞段电话录音——因为突降大雪公司如何如何……给打进来和打不进来的用户一个交代，解决不了问题但暖人心，感觉公司经营很规范，这就是所谓危机公关……

　　"公司平时很注重宣传，但没能抓住这次大雪带来的难得契机。雪后出行不便，是近几天沈城市民街谈巷议的话题，如果此时李总在电台、电视台做一档节目，接受采访，告诉市民大雪中晨龙公司做了些什么，平均每辆车出车多少次……传播效果一定事半功倍，这就是所谓的事件营销……"

我说，"以上其实都是营销学中的基本概念，只是没能主动去运用……"我也不敢说得太细，我也是个半吊子，说多了肯定露怯！

绕了一大圈弯子，我终于图穷匕见，"因为目前本市尚无与晨龙实力相当的竞争对手，晨龙的市场份额未必会因此下降，晨龙的损失在于没有取得可能的增长……同理，我认为晨龙最有效的广告投放应该在电台交通频道！您可能认为晨龙的车里装着对讲机，客人听不到广播，可是坐其他出租车的客人能听到，而他们正是最有可能转化为晨龙客户的消费群体……"

最后我检查了一遍错别字，在信上留下自己的联系电话，用特快专递寄出去了。

两天后，我正往电台赶，忽然接到晨龙公司的电话！对方说自己是公司办公室主任，李总看了我的建议很感兴趣，这两天要外出，有机会会请我面谈。主任自始至终没提做广告的事儿，我正郁闷呢，忽听他告诉我，公司赠送我500元的晨龙出租车抵用券，随时可以去取……

我喜不自胜，回到台里一汇报，老师们也都夸奖我，小伙儿真有两下子！然后领导又告诉我，广告部会派业务员去追踪这个客户，我就不用管了……

不管就不管，晨龙给我的抵用券很长时间才用完，我出门就打车的习惯也培养起来了……

转眼到了新年，我们实习也快结束了。看着台里陆陆续续开始办年货，有鱼有虾，有啤酒有色拉油有牛肉有蔬菜……不知道我俩有没有份儿，其实我也不太在乎，真发了还没地方做呢。不过其实我心里还是希望有，毕竟代表对我们工作的肯定嘛。

一下午我都在支楞着耳朵等，终于听见主任喊，"小王，到楼下领福利……"我故意磨蹭了一会儿，乐颠颠地跑下去了。

等福利发到手，果然有我们的，不过和正式职工比少了几样，都是比较贵的，最关键他们每人一件羊绒衫，我俩没有……

29 还乡

其实电台看起来不显山不露水，里面很多人都挺有钱的。有一次老大从厕所出来洗手，看见盥洗台上有块女式手表，盥洗室对面就是女厕，肯定台里哪个女同志丢的。

老大以为就是块普通的石英表，咋咋呼呼地挨屋问了一遍，都说不是自己的，后来主任说那先放我这儿吧。下午，一个栏目女主持人回来，她把表认走了，她说这是雷达永不磨损，差不多值 3 万块吧。我看见老大当时脸色都绿了，估计背地里他肯定猛抽自己嘴巴子，到手的横财飞了！

回到学校，老大为此得了个优秀实习生，将浮华的物质转化为永恒的精神，反正也是白捡的……

发福利的第二天，我就踏上了回家的火车，到家的时候天快黑了。我爸我妈对我老热情了，炒了一大桌子菜，我爸乐呵呵的，"咱爷俩喝两杯，就喝咱儿子发的啤酒……"

晚上我躺到床上，我妈还不肯睡，围着我问这儿问那儿的，又洗了一盘子水果放在床头。我心里有数，我妈她没长性儿，不出三天就得开始烦我。果然，还没到第三天呢，我妈就冲着我皱眉，"看把你那屋造得跟猪窝似的，你就不能干点正事儿……"

那天中午我睡得正香，接到一个电话，是我初中时的死党老潘。老潘说，"王小旗，我估计你回来了，找几个人聚一聚吧。你要没事儿，下午三点我到你家找你。"

我连忙说，"没事儿没事儿，你来吧。"

快三点半了老潘才来，穿得西装笔挺，就是袖口上有一大块油渍。老潘说在"老四川"订的包房，离我家就几步道儿。路上，老潘让我看看两边的路灯，说这条马路是刚改造的，我回来前两天才通车。

我一皱眉，"乱弹琴！小潘同志，不是说好了不惊动当地政府吗……"

老潘乐了，"别臭美了，你还是那个德性！"

包房里男男女女来了好几个了，正热火朝天地叙旧。初中毕业以后，大家一年能见几次面，这里面有一半儿是考上大学的，一半儿差不多都上班了。老潘上了本地一所野鸡大学，和他们聚的机会多。

一个念辽大的小子正唾沫横飞，"进了大学上课就没人管了，我们是必修课选逃，选修课必逃……"

老赵念的是职高，他很感慨，"我他妈就是在中学逃课太多，结果失去了在大学逃课的乐趣，终生遗憾哪……"

有人问我，"王小旗，你们大学牛逼啊！出来都是记者，到哪儿采访都吃大盘子拿红包……"

我清清嗓子，"我没上过大学,我觉得是大学把我给上了！"

大家哄笑，都说，"对对对，我们也没上班，是班把我们上了……"

越喝气氛越热烈，苏曼是咱们初中的大美女，现在在电信公司卖小灵通。苏曼火辣辣地盯着老潘，"还记得吗？当初你在校门口堵我，把情书往我兜里一塞就跑没影儿了……"

老潘满脸通红，"记得记得，我他妈太紧张了，还拿错了……"

苏曼说，"是啊，第二天我问你，你塞给我一百块钱，到底是什么意思？"

大家笑作一团。

半道上王刚来了，王刚是咱们年级帅哥排名第一，校篮球队中锋，听说后来叫电业局看上了，招进去成了正式职工，每月两千来块，打比赛的时候出成绩就行……

王刚还是牛逼哄哄的，"哥儿几个我来晚了，一会儿我自罚三杯啊！"

我过去和王刚拥抱，猛然发现他两个袖管空荡荡的，胳膊没了！

我吓蒙了，王刚用下巴指指桌上那盒人民大会堂，冲我努嘴笑，"给我点上啊，怎么恁没眼力见儿哪！"

别人早就知道了，告诉我，"叫高压电打的，现在王老板开了个音像店，进了不少新片子，大伙都去他那儿借碟……"

王刚胳膊没了，既不耽误抽烟也不耽误喝酒，这小子用牙咬住酒杯，一仰脖，一杯啤酒就灌下去了，喝的比倒的还快。

大家闹到下半夜才散。我和老潘在大街上溜达，想起王刚我浑身阵阵发冷，"谁能想到啊，这就是以前说的命运吧……"

老潘很平静，"再过十年，想不到的更多，差别更大……"

不知不觉两个人溜达到我们初中门口，我俩都没想到走出这么老远，说进去看看吧。

大门已经锁了，我俩攀住栏杆一跃而过，身手都还那么敏捷。

在校园里绕了一圈，回忆起不少当年的糗事儿，后来我俩蹲在主楼台阶上抽烟，老潘说，"还记得贺老师吗？老追着屁股管我们，说就是背，也要把我们背进重点高中……"

我说记得。

老潘又说，"听别人说现在贺老师办补习班挣钱挣疯了，课堂上不给学生讲，也不知道真的假的……"

又过了一会儿老潘说，"走吧。"

我说，"好，走吧。"

转身前看见台阶上我们扔的三个烟头，丝丝地冒着一缕烟，很像是灵堂前摆着的几根香火，在祭奠我们逝去的青葱岁月。

30 病态

转眼寒假过完了，送我走的时候，我妈显得十分愉快。

回到学校,哥儿几个都在,我问,"假期过得都怎么样啊？"

刘学说，"就那么回事儿，我因碌碌无为而感到悔恨，因虚度时光而感到羞耻……"

大家说，"去死！"

这是我们在东大最后一个学期，日子过得很轻松。我基本上每天睡到自然醒，在寝室里听听广播，浇浇花，吃完晚饭出去遛一圈儿，过得好像离休生活。

刘学的生活同样糜烂，不过他更虚伪，每天早上都要抛一个硬币，如果正面朝上，他就打游戏；如果背面朝上，他就去睡觉；如果硬币竟然立起来了，他就去上自习！

不知不觉间，大家的心态还是出现了一些微妙变化。

几个女生在九舍东头堆起一个雪人，要是搁过去，不出一晚上准让人给踹了，脑袋搬家，粉身碎骨。现在都几天了，雪人还好好地站着，大家进进出出路过，还给雪人身上拍一把雪。雪人大脑袋圆乎乎的，罩个小红桶当帽子，又插根胡萝卜当鼻子，还给围了个花格子围巾，傻呵呵的挺可爱。

那天一大早，看见很多人围着雪人，有笑的，有骂的。挤进去一看，不知道谁损得冒泡儿，把雪人鼻子上的胡萝卜一拔，顺手插在雪人的下腹，高高地翘起来……雪人的性别变了，还显得十分猥亵！

几个女生厉声叫骂，"哪个变态干的？有种站出来！"骂归骂，她们绕着雪人转来转去，扎煞个手，谁也不敢把那根胡萝卜拔出来。男生们笑得不行，最后飞起一脚，把雪人给踢碎了，校园里又少了一景儿。

不久，出了一件大事儿。星期三女浴室开放，天刚擦黑儿，大四的几个小子在水房周围闲溜达，偶尔一抬头，发现楼顶上浴室气窗那儿趴着个男的！没听说在女澡堂开青春期教育课啊，肯定是流氓了，兄弟们怕正洗澡的女生吓着，没声张，悄没声儿地围过去。那男的也惊觉了，跳下来，没命地往学校外面跑。兄弟几个闷头追，追上了二话不说就往死里狠揍。

那男的抱着脑袋，被踢得在地上直打滚。打着打着，大伙认出来了，不是别人，就是证书让火烧了女朋友又丢了那个江西朋友。大伙都挺不好意思，装作不知道，又踹了几脚就跑散了。

回来大伙一商量，此人也可怜，咱们别跟外人说，也别报告学校了。大伙平时多注意他点儿，好歹糊弄几个月，等他毕业走了就算完了

我们以为他还不得出去躲两天，把伤先养好了。不料第二天早操，他鼻青脸肿地第一个来到操场上，旁边人指指点点，他目不斜视，站得如少壮军人般笔直，脸上的淤血在朝阳下烁烁发光。

我们都说看来他还真有病。又过了几天，终于他家里来人把他接走了。

直到毕业都好几年了，我始终忘不了江西朋友。有次我手机里打进一条短信，说能办各种假证，我闲着没事，把电话打回去一问，不管什么证件，只要300块钱，一个星期交货，满意了再给钱……我猛一拍大腿，咳！江西朋友可惜了！当初要花上千儿八百块钱，做几个真的假证,他也不至于……

我一冲动，就干了件很变态的事儿。我把偷来的李蓝的照片交给假证贩子，做了一本我和李蓝的假结婚证，300块钱，跟真的一样！现在结婚证还在我抽屉里锁着，轻易不敢

拿出来，怕惹麻烦，撕了又舍不得……

东大后来成立了心理辅导中心，没人好意思主动去咨询就诊，中心就编了一本心理健康小册子，发给每个学生。回到寝室我们拿小册子互相对照，惊喜地发现大家竟全都有病！真是不比不知道，一比吓一跳，老大身上至少有9条符合心理疾病的症状，刘学能对上7条，我对上了12条……后来我们互相叫王疯子、刘疯子、赵疯子、张疯子……都是疯神榜上中人。

大四是精神病发作的高危区，如今又有了新情况，犯病年龄呈现不断降低的趋势。有个大一女生白天还好好的，晚上不声不响吃了半瓶安眠药，自杀未遂，灌了一夜的肠子抢救过来了。她留了一封遗书，看完能把你鼻子气歪喽，她既没失恋，也不是压力过大，之所以要走上绝路，撒手人寰，就因为她想买个名牌包包，朝家里要500块钱，家里没给，还说了她几句……她在遗书中写道，家里的生活太困难了，她感到自卑，不想活了……其实她爸是一个税务所的所长，正经挺有钱呢。

我很纳闷儿，都考进东大来了，不应该这么弱智啊？其实在大学里头犯病的，也许是从前，青春期或者童年时早有了暗伤，要不就是借题发挥，明知故犯。心理辅导根本没有用，就像你永远无法叫醒一个装睡的人。

老疙瘩找到张宽，"赶紧还我钱！前前后后加起来也快

500 了，光写欠条有屁用，不还？我死给你看……"

刘学说，"我要自杀也不吃安眠药，我吃红焖肘子撑死得了！"

张宽嘿嘿淫笑，"我更愿意精尽人亡……"

31 创业

刚进大学的时候我们也缺钱，憋得嗷嗷叫唤，其实四年来我们手头一直都挺紧的。在不好意思朝家里要，或者要了没给的情况下，一般我们没想到自杀——不是还能打工嘛。

在大学想挣点小钱，基本就那么几条道儿：做家教，派送，发传单，搞调查问卷，做促销员（仅限漂亮女生），力工（先看看自己的小身板儿）……

干上家教的同学花钱都挺冲的。法学系有个小子，兼了好几家，不到半年，手机、电脑都置办齐了，我和老疙瘩看着特别眼热。他每次出去都把名牌行头脱下来，换上一身最破最朴素的衣裳，愣装深山沟里走出来的寒门学子。

人家家长问他，为啥做家教？

他说，"您一个月给我 200 元钱，爹妈再寄来 50 就够用了，让他们也买点儿肉……为了我上大学，家里把三间瓦房都押上了！"

　　我和老疙瘩也糊了个纸牌子，星期日往学校门口一站，看看周围的同学，动不动高考数学142，物理148……自己就先矮了半截。好容易有人过来问我，"你会什么？"

　　我吭哧半天，"语文是我的强项，高考135……"

　　"咱们家孩子不需要。"

　　"你能辅导口语吗？牛津口语……"

　　我想说自己口语比英国结巴强点儿，没敢。

　　后来我豁出去了，说自己有一套素质教育的独特理念，和国际接轨，可以教孩子在快乐中学习……家长打断我，你的观点我不能苟同，等高考实行开卷以后再说吧，"你高考数学到底多少分？"

　　"99……"

　　"才及格嘛！"家长扭头就走。

　　我追过去，"即使我没有多少经验告诉孩子，我的教训还可以让孩子引以为戒……"

　　家长说你有病啊！

　　后来有位师兄赏给我和老疙瘩一份工作，替他往药科大学和建工学院送牛奶。一袋牛奶9毛钱，我们挣1毛，师兄赚多少不知道。头一天，我们背着牛奶箱子跑了十多个宿舍楼，爬了N多的楼梯，两个学校总共送出去190袋牛奶，师兄给了20块钱说不用找了。

　　第二天特别热，我俩走得又累又渴，一商量，每人喝了一袋牛奶，这就是一块八。老疙瘩喝顺嘴了，不一会儿咕嘟咕嘟又灌了两袋，我这个心疼啊，成本提高了利润自然要减少啊……

走了一段路，老疙瘩的眼睛又瞄向牛奶箱子。

"怎么，你还想喝？"我快崩溃了。

"正有这个打算！"老疙瘩抢过一袋牛奶，扯开，对着嘴又灌下去了。

那天的牛奶可能有点不新鲜，回来的路上老疙瘩肚子疼，实在挺不住了，跑到路边阴暗处，蹲下就开始拉稀。

我捏个鼻子，走过去观察一会儿有所发现，"老疙瘩！原来你喝的是奶，拉出来的却是草啊！"

老疙瘩病了需要休息，我也干不下去了，借此机会正好向师兄辞职。

那段时间我们想赚钱都想疯了。老大从牙缝里挤出点钱，每周买 20 元的福利彩票。他说中了 500 万给每人买一辆夏利，我们说不用，现在你给点儿加油钱就行。

一次刘学使坏儿，偷偷记下了老大选的号码，开奖那天假装给外面的老疙瘩打电话，"哎，买晨报没？这回号码多少？

"什么？你慢点儿！5，12，什么？9，23……"

那边老大支楞个耳朵听，慢慢脸色儿就变白了……最后老大咬着嘴唇子一声没吭，下床从抽屉里摸出身份证，一步一步挪出寝室，撒丫子就跑……刘学乐喷了，对我说，"看见没有？这小子还想吃独食！"

老大跑到校门口快打着出租车了，刘学才打电话把他拦下。这回老大震怒了，发誓此生永远都不原谅刘学。刘学主动要求赔偿老大的精神损失，下个月买彩票的资金他全出，老大余怒未消，说除非你还我 500 万……

事后，赵赤峰狠狠批评了我们，说开玩笑也应该有个限度，要是赶上心脏不好的，那是要出人命地……

如今到了大四，刘学、老疙瘩和我一起反思了从前勤工俭学的经历，深感过去我们干得太低级，一是缺乏科技含量，基本就是出卖体力；二是为别人打工，被别人剥削，利润的大头儿都让人拿走了……我们要自己做老板，自己挣钱自己花，最好还能剥削剥削别人。

经过一番调研，经营方向找到了——为企业和个人制作网页，兼营其他软件服务业务，属于高新技术产业，还没啥成本。开始我们想成立一个工作室，后来一不做二不休，索性搞他一家公司，老疙瘩是技术总监，我是创意总监，刘学是销售总监……

公司总得有个名字，大伙饧饧了半天，刘学说，"就叫中发白！亲切响亮。"

我说，"滚吧，看你这点出息！"

老疙瘩受此启发，"叫福禄寿如何？"

我说太老掉牙了，刘学说，"我看挺好，吉祥又传统……"

最后公司定名风·雷·动。开业那天，我们把女棋圣和木耳请来了，刘学献出一条新床单，两位女士给剪了彩。刘学牛逼哄哄的，"公司要是闹成了，你俩这辈子就不愁了，跟着我们，吃的是山珍海味，穿的是绫罗绸缎……"

公司很快迎来了第一个大发展的黄金时期。

外部环境实在太好了。一年前，东大拥有个人主页的牛人不超过10个，还都是信息学院的。现在提供免费空间的网站多如牛毛，像博客空间、黑马社区……遇到慷慨的白给空间可以大到1G，一两银子都不用掏，谁不想过过当斑竹的瘾呢？恰在此时，赶上东大校园网服务器升级，大把的空间闲着不知道干啥好，就向本校学生开放了，有如一股最强劲的东风，吹得兴建个人网页之风如火如荼……

32 末日

建网页其实贼简单，有各种现成的模板，挑个顺眼的，改个名字，再扒点素材变变花样……东大至少有一半人可以自己搞定，剩下的那一半就是我们的服务对象。

公司要开展业务，第一步得把自己宣传出去。我们没钱打广告，可以让产品说话。为此我们首先给女棋圣和木耳每人做了个主页，老疙瘩真是把吃奶的劲儿都使出来了，做得确实漂亮：导航图标、工具条、动画点缀，包括背景颜色都很讲究……连木耳的鼠标都不是个简单的箭头，拖出了一行花体字，"我是一片云偶尔投影在你的波心。"

很快女棋圣的两个室友找上门，紧接着登门的客户络绎而来，要求提供优质服务，还有人明确指出，"我就要谁谁谁那样儿的!"

我们定的价目表，按网页复杂程度分别收费 50 元、30 元，预付全款的可以打 9 折，很快收上来 400 多，订单排到了下个月。刘学乘胜追击，满院子拉生意，见人就问是否已经"安家立页"了，还很形象地说，"主页就是咱们在网上的脸啊，你想要脸不……"老疙瘩每天心情激动地工作到深夜，饿了还得搞点夜宵……

又过了一段儿，公司的进账开始趋缓，一点点地终于接近断流儿，原来收的钱也花干净了。董事会慌忙召开紧急会议，请女棋圣和木耳列席，总结公司前一阶段的运营。

老疙瘩说，"做网页说白了是个力气活，没啥技术……"

大伙说，"谦虚了，谦虚了!"

老疙瘩脑袋一拨楞，"我的意思是，刘学以后拉生意你注意点儿，别再到软件学院去忽悠，人家都用 HTML 了，我就会 ASP，那不是找死吗……"

刘学说，"王小旗还得多动动脑子，现在人家不太在乎功能什么的，就是要炫，要拉风! 你经常变变新花样，别老照扒那几个模子……"

大家一致要求老疙瘩，"不能随便给女生免费，特殊情况需经董事会全体同意……"

最后我说，"老疙瘩夜宵的饭量越来越大，还挑嘴，肉包子都不爱吃了，从今天起掐了……"

情况还是不见好转。慢慢地人家都整明白了做网页那点儿技术，自己动手也是个乐趣，就剩下几个懒人还肯光顾我们。刘学已经把报价降到一律20元，这样还有人赖账，"现在我没钱，明天在食堂给你划次卡行不？"

一天刘学兴冲冲地跑回来，"今天真没白忙活，南门修车的老曹头被我拉来了，给他建个网页——曹师傅在线！今后哥儿几个修自行车全免费……"

我们很悲哀地意识到，公司真的很危险了。

刘学又打听到一个消息，下个月文法学院要搞艺术节晚会，院团委锐意创新，面向全院招标，谁的方案好用谁，经费是有保障的，我们很机敏地从中嗅到了商机。

这件事老大还说得上话，他很快就要从学生会退下来了，心情挺低落，常常念叨，"我走了，扔下这么大个学生会，谁主沉浮啊？"我们说，"你就别操那份闲心啦，赶紧替我们活动活动——给你回扣！"

老大很卖力气，几天后团委负责老师约我们到办公室面谈。我们让老疙瘩做主打，我和刘学都是本院的，负责老师压根儿不会相信我们有多大脓水，我们一介绍老疙瘩是信息学院的网络怪才，她先就有几分敬重。我们的方案是，办晚会要与时俱进，展现信息时代大学生的风采，因此我们想打破旧模式，取消主持人，用 POWER POINT 和 3D 动画把节目串联起来，打在大屏幕上……

负责老师一个问题也没问，啪地一拍桌子，"好！就这么定了！"

我们大喜，互相用眼神热烈拥抱。最后谈到费用问题，老疙瘩吭哧半天，壮着胆子说，"至少还不得 1000 哪……"

负责老师极豪爽，"好！就给你们 1000，两周后我要看彩排！"我和刘学把鄙视的目光投向老疙瘩，老疙瘩也后悔得嘴唇都快咬破了，刚才为啥不说 2000 呢？

很快晚会的节目单和会序就报上来了，团委的笔记本、电教的幻灯机也都暂时划归我们使用。俺们知道这次只能成功，不能成仁，哥儿几个不惜全身精血耗尽，每晚苦干到东方破晓，光烟就抽掉了好几条……

彩排那天，负责老师万分满意！

暗地里，我干了一桩私活，老疙瘩和刘学都蒙在鼓里，我甚至不惜秘密求助于三好街的职业高手……没有人知道，我正在准备进行我一生中最大的冒险……

终于，正式演出的时刻到了。我们三个来不及吃晚饭，早早赶到舞台上调试设备。看演出的同学们陆续进场，外面的人越聚越多，我偷眼往台下一看，我靠！黑压压的一片脑袋。我像打摆子似的浑身哆嗦了几下，同时瞥见李蓝和唐美，正坐在第三排靠门口的位子上……

伴随着东大校歌的合唱，"白山兮高高，黑水兮滔滔……使命如此其重大，能不奋勉乎吾曹？能不奋勉乎吾曹……"演出开始了，老疙瘩啪啪啪打出艺术节晚会的字幕。此时我们在大屏幕上播放了两组画面，一组包括"绽放的焰火"、"腾飞的鸽子"、"五彩的气球"……另一组是东大校园内各个建筑，校领导出席外事活动的照片……

文法学院师生没见过这么新鲜的晚会设计，当即报以排山倒海般的掌声，团委负责老师满面红光，频频转身向后排观众挥手致谢……全场唯一感到不爽的，可能是过去主持晚会的那对儿俊男靓女，以前他俩多风光啊，我早就看那俊男不顺眼，细皮嫩肉的小白脸儿，笑起来脸蛋上还有俩大酒窝……让他们哭泣去吧！

因为心里有鬼，我老是走神儿，台上演了些什么我根本就没留意，唯一有印象的节目是歌伴舞《外国人都把那京戏唱》。本来安排伴舞的脸上画上京剧脸谱，可演员们坚决不从，说把他们英俊的脸庞都盖上了，分不清谁是谁了，底下的FANS们也不答应啊……结果他们每个人都画了半张脸，显得妖气十足，十分恐怖，台下的领导全把眉毛拧成个大疙瘩。我心不在焉的，险些把下一个出场的节目单打错，刘学愤怒地踢了我一脚，"靠！想什么呢？"

终于全部节目顺利演完，老疙瘩冲我大喊，"快！难忘今宵……"随着熟悉的乐曲，大屏幕上切换出一组气势磅礴的画面，有"三峡大坝合龙"、"神舟五号上天"、"三代领导人检阅游行方队"……学院领导深深陶醉了，脚步轻飘飘地，边走边高举双手向人群挥舞，同学们报以有礼貌的掌声……

院领导刚刚走出礼堂，同学们还沉浸在庄严欢快的气氛中，突然扩音器里吱嘎一声，《难忘今宵》摇身变为《两只蝴蝶》！"亲爱的，你慢慢飞，小心前面带刺的玫瑰……"所有人都惊愕地张大嘴巴。

那边我用颤抖的双手，把蓄谋已久的一个 FLASH 动画点击、选中、播出……大屏幕上出现了一个小男孩一个小女孩，两个人提着暖壶，肩并肩地去打水；两个人在冰场快乐地滑行；小男孩躺在床上，小女孩给他送饭；小女孩躺在病床上，小男孩去看望她……后来两个人争吵得很厉害，小女孩转身离去，小男孩的眼睛里满是泪水……最后画面上出现了一颗心，哗地粉碎了，碎片落下来组成一行字："李蓝，我错了！原谅我吧！"

此时同学们已经高度亢奋，我的动画又严重刺激了他们，礼堂里开始出现有节奏的呐喊，"李蓝！我错了！原谅我吧！""李蓝！我错了！原谅我吧！"人群相互感染，喊声一次比一次震撼，最后发展为上千人齐声高呼，"李蓝！我错了！原谅我吧！"

我已经无法预料事态最终会怎样，胆战心惊地向台下望去，忽然发现李蓝和唐美竟然不在那里！也不知道什么时候走的，走了多久……我从后门狂奔出礼堂，在距离礼堂200米左右的地方，我遇见了李蓝和唐美。此时，礼堂里震耳欲聋的呐喊还在传来，"李蓝！我错了……"

我看见李蓝泪流满面，脸色惨白得像一张纸。唐美跺着脚，指着我的鼻子，"本来李蓝都说好原谅你了，怕你忙活得没吃饭，还特意去给你买饺子……你怎么净胡闹呢！你有病啊？"

我忽然感到一阵热乎乎的眩晕，恍惚中听见李蓝说，"王小旗，我们分手吧……"李蓝的身体像怕冷似的一直在颤抖，她怨恨地最后看了我一眼，头也不回地走了。

我呆立良久，俯下身去，把掉在地上的凉饺子捡起来，一个一个塞进嘴里……是我最爱吃的韭菜馅，咸淡儿正好。此刻我终于相信了，在我们之间是真的有爱情曾经来过。可惜，我总是犯错，一捧水又从我的指缝间漏出去了……

33 埋伏

预料之中的，我在一夜之间成了东大名人。团委负责老师却并不给名人面子，把我召到办公室一顿臭骂，说我一颗老鼠屎坏了一锅汤，"本来多么完美的晚会啊！"负责老师的眼睛都红了，还威胁要处分我，原来答应的 1000 元也变成了 200。负责老师疲惫地挥挥手，示意我拿了钱就快滚吧。

刘学和老疙瘩做人很厚道，只字不提此事，老疙瘩轻轻一声叹息，"问世间，情为 WHAT？直教人生死相许……"

爱情可以冲破重重障碍，毕业可以打破种种爱情。

濒临毕业，校园情侣以平均每天一对儿的速度集中消亡。一般来说这里面有两大类——转身与松手。松手，是指小两口儿遇到外界的不可抗力，比如父母坚决反对或者工作不能签到一地，俩人被拆散了；转身，就是其中一个人不干了，法学系管这叫单方面违约。当初追得鸡飞狗跳，爱得寻死觅活，如今咔嚓一刀两断，连个像样儿点的理由都不给。

张宽和他在大学里最后一个女朋友分了手，场面至为感人，我亲眼目睹。

入夜，图书馆对面小树林内，张宽表情激动和女友诉说着什么，女友态度平静，好像正和战士谈话的指导员，张宽欲拉女友的手，女友婉拒……良久，女友飘然而去，张宽奔向树林更深处。此时我正在附近赏月，远远看见张宽掏出电话猛按，我很奇怪，这种痛不欲生的时刻，电话打给谁？莫非他要向哪位高人求助？

　　隐约传来了压抑的呜咽，蓦然一声结结实实的嚎叫，"妈！"……张宽鼻涕一把泪一把的哭诉已经不可收拾。我知道，电话那端注定有一个可以包容他所有烦恼的温暖声音，我转身离开，蠢蠢欲动的泪水迅速漫过了眼底。

　　第二天张宽见到我们时，创伤已经愈合，又精神抖擞了，"咱是谁呀？多少回辞旧迎新了，啥时候失过风度？伤心的话咱让对方去说，伤肾的事儿留给下任去做……"

　　像我，已经无恋可失无手可分，行尸走肉般日子过得倒也平静。刘学和女棋圣俨然老夫老妻，每天吃罢晚饭，手挽着手在校园中蹒跚漫步……木耳介绍来四个留学生，仰慕中华文化，要跟刘学学习中国象棋。三个是德国人一个美国人，四个洋鬼子正好是传说中的魑魅魍魉。洋徒弟笨得要死，刘学很快失去了耐心，常常见他高举一颗棋子冲徒弟大吼，"马走日，相走田，车到啥时候也不能斜着走……俺的屁蛋？"

　　一天老大激动地跑回来，"爆炸新闻——大鸟和女院长助理在办公室打起来了……"

　　大家忙围过来，"真的假的？大鸟要造反哪？"

　　"大鸟当着很多老师的面，朝女院长助理要东西，说你既然不能帮我办事儿，那就应该把我给你的音响还给我……"

　　"大鸟求她办啥事啊？"

　　"靠！你用屁股想想也能知道，不是留校就是保研呗！"

　　"女助理还她了吗？"

"女助理脸上挂不住了，说大鸟同学你何出此言哪？我家里是新添了一部音响，那是我自己在中兴买的，发票我还没扔哪……"

"这是咋回事？"

"笨！大鸟送礼的时候连发票一起给的呗！"

"那大鸟不就说不清了？"

"狐狸再狡猾，"老大喝了口水，"也斗不过狐狸精！大鸟请女助理把音响拿来，她用螺丝刀把后盖拧开，里面竟然放了一张红纸条，写着：某某年某某月学生大鸟敬赠某某某老师！女助理当时就哭了……"

我们听得周身发冷，大鸟也太阴毒了，早留下这个后手。老大恨恨地说，"大鸟就是这么不择手段，当初我就吃了她的大亏……"

赵赤峰出神半晌，"咱们都是在平地上走，大鸟她是在向天上爬……"

令人称奇的是，此事从此不了了之，没有任何人受到任何处分，就像没发生过一样。

大鸟确实有能耐，过了不久，她提前签到了一份好工作，据说还是去宝马公司在沈阳的总经理办，外企里的外企，白领中的白领……大鸟是我们这届学生中第一个得到用人单位OFFER 的。

大鸟现在提前换上了全身的职业套装，昂首挺胸在校园中穿行，遇见我们就微微一笑，很矜持，很有保留的样子。

又过了一段儿，听说大鸟改了英文名字叫安娜，现在叫原名她拒绝回答……后来又传说，安娜这个名字是有人故意损她，谐音就是她老家经常说的"嗯哪"。

34 行走

公司的境况日薄西山。偶尔老疙瘩还幻想，飞来某个企业老总给公司注资 500 万，我们可以给他 51% 的股份，让他控股。

刘学说，"那老总脑袋让门挤啦？除非他是你亲爹！"

转眼到了写毕业论文的时节，学院放了一个月假。赵赤峰这几年光读书笔记就写了几十万字，论文是现成的。我到图书馆查查资料，发现可用的东西都已有同窗捷足先登，旁边还留下标注，"已抄过，慎勿撞车！"

我想写《"大跃进"时期新闻媒体的处境与选择》，好歹凑了几条，把开题报告糊弄出来，拿去请指导教授审阅。教授带了四五个学生的毕业论文，首先看我的提纲，啪地一拍桌子，"题目好！"接着就热情洋溢地辅导其他几个女生。临到告辞，我恭敬地请问教授，还有哪些地方需要改进？教授沉吟片刻，一挥手，"大体就这样了，把题目改一下就行啦！"

我的心彻底凉了，回去干脆请了一位枪手。我叮嘱枪手一定牢记，能得"良"就行，万一没控制好得了个"优"，将来论文答辩又是一关。

很多同学利用这个假期出去游山玩水，来个文化苦旅行者无疆。赵赤峰和老大在北京都有同学，想到伟大首都瞻仰一番。刘学和女棋圣，老疙瘩和木耳，两对伉俪计划取道大连，坐船到青岛，再到崂山……

刘学客气地问我一下，"王小旗，你是跟老大到北京，还是跟我们走？"

"跟你们走！"

刘学显然很后悔，赶紧往回拉，说这么大的事，还要和女棋圣她们商量一下。

我不管，"我是跟定你们啦！反正我也不是东西了，就当南北吧……"

后来刘学费了很大劲说服俩女生，说王小旗虽然碍眼，但买票住宿，总需要个人排队跑腿儿……

咣当咣当坐了五个小时的"辽东半岛号"，我们一行两对半在下午六点抵达大连。下车以后直奔东财大，老疙瘩有个姓冯的同学在那儿念国际金融，几天前就打招呼了。

老冯说这个月不算我们已经接待三拨同学了，不过他还是表现出足够的热情，寒暄两句就安排我们到校门口的酒店，坐下来开喝。

酒过三巡以后，我说，"老冯，你为啥不也到同学那儿转转？白吃白住，顺便饱览祖国的大好河山……"

老冯很郁闷，"靠！要不是打算考研，我他妈早走了！"

大伙吹吹牛扯扯淡，很快就九点半了，老冯端着酒杯，"今天晚上，两位弟媳妇就在女生宿舍委屈一下，明天我陪你们……"

刘学和老疙瘩哼哼哈哈的不怎么搭茬，还想方设法灌俩女生喝酒，我就觉得有点蹊跷，莫非这两个损贼今晚动了歪念头？两个女孩都特别实在，敬完老冯老冯又回敬，左一杯右一杯……俏脸绯红，终于伏倒在桌子上不省人事了。

刘学和老疙瘩相视一笑，朝老冯一拱手，"哥哥，麻烦你借两条被子，今晚我们就把俩姑娘背到黑石礁那头儿海边上，明早上让涛声海浪叫醒她们，一睁眼睛还不得美死！"

老冯斜着眼睛看刘学，"嘿嘿！还挺能搞气氛啊……"

我忙问，"我睡哪儿？"

刘学一瞪眼，"还睡个屁！我们都在海边上守着，别冒出来个不睡觉的色狼再捡了便宜！"

黑石礁就紧挨着东财大，刘学和老疙瘩用棉被把俩姑娘包得暖暖乎乎的，安放在海边的礁石上。

刘学和我找个背风的地方抽烟，四周都黑乎乎的，听见海浪涌上来，哗啦一声又退去。老疙瘩兴奋得呆不住，挽着裤腿在海水里边奔跑边嚎叫，我和刘学不屑地摇摇头，"大西北来的就这德性，你得原谅他对海的好奇……"

黎明时分女棋圣和木耳醒来了。意料之中的，俩人狂喜得眼泪都出来了，双双扑向自己的爱人，那个热情奔放啊，我在旁边显得十分多余。

早饭的时候老冯来了，刘学说我们自己出去玩，晚上回来住，就不用你三陪了。老冯沉吟片刻，"也好，说实话现在一看圣亚海底世界那些怪鱼我都恶心……"

大家都换上了休闲装扮，女棋圣和木耳都戴着很酷的墨镜，像俩女毒枭似的。老疙瘩穿条紧绷绷的牛仔裤，大屁股一晃一晃，显得很能生养的样子。一路上他们几个把我支使得团团转，"王妈！去买票……""王妈！那边红富士不错，买几斤……"我一溜小跑，脸上还挤出媚笑，"我是一只苹果，果果果果果果……"

大连的烤鱿鱼可真好吃，雪白雪白的，再抹上点红辣酱，没等下嘴咬，哈喇子先淌了一地……

我们到公厕方便的时候，女棋圣去给刘学买《体坛周报》错过了，现在她憋得满脸通红。我在一旁狼心狗肺地吹口哨，"嘘，嘘——"女棋圣快疯了，咬着牙弯腰疾走。

晚上回到住处，大伙都累得不想动弹，刘学吩咐我，"大门口不是有一家吉祥馄饨吗，王妈你去买5份回来。"

"好嘞，"我讨好地又问，"要不要加陈醋?"

刘学很不耐烦，"要！有什么都加点儿，别可怜那些黑心店家。"

我出去买了 5 份馄饨，兢兢业业地倒上陈醋、酱油、胡椒粉……最后瞧见桌子上有牙签盒，我略一犹豫，也往里倒了几根，牙签飘在馄饨汤上面，像一叶扁舟，煞是好看……

回去以后，刘学和老疙瘩瞅见馄饨里的点缀，没吭声，默默地挑了出去。当时刘学看我的眼神其实是很阴的。

第二天我一觉醒来，发现刘学和老疙瘩都没影了。老冯坐在旁边，忍着笑，"刘学他们坐早上的船去青岛了，让我转告你自己保重……"

这俩兔崽子！我拨他们几个的电话，全都关机，我给刘学发了个短信，"你们这么做是会招报应的！"

剩下我一个人还玩个屁，再说兜里头钱也不多了。我辞别了老冯，在外面又游荡了半天，打车去火车站，赶晚上六点那趟车。

我发现出租车司机没把表扣下，连忙出声询问。"表坏了，"司机冷峻地回答，"到地方你看着给！"一路上我的心都悬着，到了火车站，我双手奉上 20 元钱赶紧抱头鼠窜。

火车到了沈阳站，我心里一盘算，离月末还有 18 天和 50 元钱！

幸好过几天老大和赵赤峰先回来了。我问，"首都人民热情吗？给我带好儿了吗？"

老大说，"现在穷书生连书剑飘零闯江湖也别想了，名山大川的门票都贼贵！故宫涨到 120 了，抢钱哪？"

老大又揭露一个秘密，"赵赤峰和他同学去爬香山了，俩人比着赞叹真是红叶似火，旁边人都傻了，这季节树叶绿油油的……敢情他俩都是色盲，不知道高考怎么通过的体检……"

赵赤峰郁郁寡欢，似乎另有隐情。

又过几天老大看他校友录上的上传照片，一个女生身着红衣，站在王府井大街上龇牙傻笑。赵赤峰在后面忽然显得很激动，张口结舌说不出话来。

我们不知何故，看那女生相貌很一般呀。

赵赤峰咬牙切齿，"我，我手机就是在那儿丢的！"

35 收获

上帝在这里关上一扇门，就会在那里打开一扇窗，真是至理名言。

刘学和老疙瘩回到学校不久，忽然有个建筑公司的老总把我们找去了。老总很牛逼，"你们能不能给我的楼盘做个网页宣传宣传啥的？差不多就行，没剩下几套了，也不愁卖……"

我们像扎了一针吗啡，腰杆子当时就挺起来了。我说，"我们可以抽时间安排这单业务，基本费用要 5100 元……"这招是我跟那个算命的大仙学的，有零儿有整儿听着特可信。

"2000 元。"

我们跳起来，"先预付一半订金。"

"哪来这么多废话？干完了我一分钱不会少你们的，我儿子就是你们学院的，听他说你们用电脑动画搞对象，挺有意思……"

10 天以后我们去交活儿，老总没说好也没说坏，让会计给我们取了 2000 元钱，拿在手里沉甸甸的，很久没见到这么多红颜色了！

赵赤峰和他的"求是社"，几年来琢磨出不少理论文章，就是没找着地方发表。忽然一天喜讯传来，《求是》杂志通知赵赤峰，摘要刊登了他撰写的文章——《试析外资企业中的党组织建设》，全校为之轰动……

好事儿接踵而来。省委组织部从各高校选调优秀毕业生，东大把名额给了赵赤峰，即将参加一个月的集中培训……据说这帮精英全都分配到省直大机关，赵赤峰算是掉到福窝里了。

"天道酬勤啊！"我们勉励赵赤峰，同时提醒他，"注意点儿老大，别让他这几天又犯病，再摔你几样东西，呵呵……"老大满脸羞涩。

毕业一天天地逼近了，刘学的情绪越来越低落，仿佛有了什么不祥的预感。晚上刘学爬到我的上铺，幽幽地对我说，"小旗，咱们东大法学系可能就我是唯一的法盲吧……"

果然噩耗降临，教务处通知刘学，根据他的成绩不可能拿到毕业证，转到下届重读也不行，其实像他这样早该开除了，不知道怎么就漏过去了……刘学只能肄业。

刘爸爸，市中法的刘院长，闻讯急火火地赶来，找他在法学系的关系上下疏通。然而东大是很有原则的，事态已经无法逆转，如果刘爸爸是省高法的刘院长也许还有希望……刘爸爸含恨而去，临走和刘学招呼都没打。

刘学说，"我不上火，嘿！当初早就知道会有这么一天……"然而刘学还是迅速憔悴下去了，入夜，他一个人坐在台阶上扒拉吉他，凄凄惨惨的不成曲调，闻者为之落泪。

晚上，女棋圣来了。她的脸上透着坚毅。挨着刘学身侧坐下，拉起刘学的手，"没事儿！男子汉敢作敢当，人家工人农民就不活了？"

女棋圣说，"一张毕业证啥也不是！当初我看上你，是因为你聪明、正直、豪爽……东大有毕业证的男生成千上万，可刘学只有一个！"

女棋圣又说了当天最煽情的一句话，"拉着你刘学这双小胖手，走到天涯海角都不怕，就是要饭我心里也甜！"把我们都感动得眼泪哗哗的。

刘学又抖擞起来，宣布第二天就出去找工作，他相信老天爷饿不死瞎家雀儿！

为此兄弟们出去喝了一顿酒。刘学举起杯子，"从今天起我就要出去闯江湖了，已经混到这个粪堆上，是死是活鸟朝上吧！感谢兄弟们，你们的感情算是给我添了件行李！"

刘学揉揉女棋圣的头发，"感谢我媳妇儿，你的鼓励就是给我吃了一把伟哥，我又挺起来啦……"

女棋圣也喝了不少酒，和我们一起回到寝室，她的眼中柔情似水，像母兔子似的盯着刘学，忽然冒出来一句，"今天晚上，我，我不想走了！"

刘学吓了一跳，满脸绯红。我们醒过腔来，赶紧跟着起哄，"不走啦！不走啦！我们出去混一宿儿，你们小两口好好叙叙衷肠！"

那个晚上，我们在操场上坐了一夜，大家闷头抽烟很少说话，都在想象寝室里的旖旎风光。

第二天女棋圣早早就走了，据刘学说其实什么也没发生。然而老大揭发，他后来偷听到刘学和女棋圣的悄悄话，刘学说，"能给你的我全都给你了，你可要对我负责任啊……"

现在我们开始怀疑老疙瘩是否处男，逼问之下，老疙瘩很牛逼地说，"我们想保持性的古典神秘感，一直等到新婚之夜，再把自己献给对方……"

我们很恶心，很怀疑，说看来不上手段是不行啦。我们对老疙瘩施了满清十大酷刑——扒下他的袜子，用鞋刷子刷他的脚心。老疙瘩惨叫得像杀猪，脚底被鞋油刷得漆黑锃亮，终于还是没有招。

老疙瘩被放开以后，自己闷声发了一会儿呆，猛然间从胸腔里吼出一段陕北小调，极其苍凉，把我们吓一激灵。

"人家都说俄和幺妹子有，

可怜俄俩还没拉过手……"

36 留言

天天喊狼来了，狼来了，如今毕业真的劈面而来了。

感觉这四年光阴一晃儿就过去了，仿佛我们从入学的第一天起就开始倒计时，"十、九、八、七、六、五、四、三、二、一……毕业，滚吧！"

听说我们的毕业证都已经做好了，235mm×165mm，硬壳烫金的一个小本儿。四年来俺们的青春，俺们的豪情，俺们的无奈，一切的一切就全夹在这小本儿里了……

系里几个女生张罗要开惜别会，让每人拿出一件礼物，写一段赠言，装进一个袋子里，晚会上大家闭着眼睛摸，摸到什么是什么。这是我们高中毕业时早就玩剩下的，要是搁在从前我们肯定嗤之以鼻，现在我们都尽量多参加集体活动，以后也没机会了。

老大练过一段毛笔字，应约为晚会题写对联，他饱蘸浓墨，思索片刻，两行大字跃然纸上，"多情只有春庭月，犹为离人照落花。"

"好字！苍劲无力！"我赞道，"如果我的记忆不错，是陆游的名句吧？"

老大说，"放屁！"

我露了怯，不好意思再问，转而批评对联的格调太颓废太阴暗。

大伙又商量半天，改为"聚是一团火，散作满天星！"

我们想趁着有红纸，顺手给寝室也写副对子，哥儿几个绞尽脑汁，又琢磨出两句硬词儿来，"文法院福地，五〇四洞天"！横批是"修成正果"。

我精心挑选了礼物——杜蕾斯安全套一枚，附上赠言一篇，"亲爱的同学，请接受我这菲薄（超薄型）的心意吧，在您走上成功的快车道却未及踏上婚姻的殿堂之际，在您结贫穷的扎，上致富的环之前，您用得着它……衷心祝您性福！"

晚会一开始先是舞会，镭射灯光下，同学们脸色惨白，像游魂似的晃来晃去，起舞弄清影，不似在人间。晚会到了高潮时分，大家开始摸礼物读赠言，很快就有哭有笑乱作一团。我暗自想象谁中了我那份头奖了呢，轮到自己时随手一摸，小包入手登时感觉有异，心脏怦怦直跳，太像我装的那个东西了，不会吧？基本等于中500万大奖的概率啊！

跑出大教室，我撕开袋子一看，果然是一枚安全套！却并非我装的那个，不知道哪个混球跟我想到一块儿去了，还是个杂牌子的套套，这回我亏大了！

现在我们上的每堂课，基本都是《最后一课》了。写作老师用阴郁的眼光逐一扫过我们的脸庞，半天没吭声。说心里话他也不容易，为了哄我们学点东西，他曾经把新闻写作的难点、要点编成顺口溜，有一次还让我们把《红楼梦》改成 500 字的短消息。

他哑个嗓子说，"我很困惑，我也不知道是哪里出了问题，同学们与生俱来的一种欲望被深深地压抑了……"

大家吓了一跳，"性欲?"老师真是好有人文关怀啊!

他摇摇头，"我说的是求知欲……好了，下课了，你们都走吧，赶紧满足你们的食欲去吧!"

同学们开始在校园里到处合影留念。照完校门前的大牌子，我在寝室的床前咔咔拍了好几张。四年来我跟它最亲了，这是我生命浓度最高的地方，上面全是我的生命信息……

接下来就是在毕业纪念册上互相留言，过去的恩恩怨怨早就不记得了，一个个情深意切，肉麻无比，伯牙和子期看了都会脸红。

老疙瘩刚买回来一本纪念册，不巧迎头撞上信息学院的院长助理，碍于情面只好硬着头皮请他题词。这个院助平时事儿最多了，还特别敢捅词儿，张嘴就"构建"、"平台"，今年他讲的频率最高的是"拐点"!

院助假装思索片刻，把早准备好的两句话刷刷写在本子上，"展 IT 学子风采，与信息时代同行!"老疙瘩哭丧个脸表示感谢。

晚上老疙瘩给我看他们学院一男生的留言，这小子也没能毕业，他比刘学运气好点儿，转到下届重修学分。他的留言据说是本届最牛逼的，他写道，"各位同学，我还有事，你们先走吧！"

毕业都快来了，找工作还会远吗？很多下手早的都已经和用人单位签了，我们才开始准备简历。

同学们有搞好的简历，我们拿来借鉴借鉴，一看都挺敢吹的，自己给自己封官，除了主席就是部长，一个个英明神武得都有点儿不认识了。

我挑了一份比较平凡的复制下来，把自己代入简历里的主人公，有些硬件没法照搬，肯定是要露馅儿的，只有忍痛删去。

老疙瘩坐在电脑前杜撰简历，一边还哼哼，"编，编，编，编个花篮上南山，南山开满了红牡丹……"

根据个人财力的不同，大伙的简历制作千差万别。有加个塑料皮的，还有在封面上套色的，平均投入每份至少5毛钱，如果顺利签到工作当然成本就收回来了……不过也可能是白费心机瞎忙活，据资料介绍，招聘人员平均只在每份简历上花费1.4分钟，一般会阅读1.6页材料，约有30%的简历直接进了字纸篓……

37 饭碗

周二，在东大院内举行用人单位毕业生"双选会"。据说还真来了一些有分量的单位，宝钢、首钢……"四大钢"都来了，还有深圳华为、美国强生……

刘学早出去两天，比我们有经验，他说，"都是奔东大工科专业来的，要不就是搞人事的同志借机会东北几日游，像咱们这样的别抱啥指望。"

刘学前两天参加了外面一个招聘会，进去一看形势很乐观啊，用人单位都主动追着你，工作人员热情似火，"同学，填一份表格吧，给自己一个机会!"等仔细看看，发现都是些业务员、保险推销员之类的岗位，拿效益工资，"三险一金"啥都没有……有明白人告诉刘学，你走错地方了，这是劳动力市场，不是人才市场。

今天同学们个个打扮得很光鲜，老疙瘩说，"哟嗬，都披上节日的盛装啦!"他自己也套上西服，扎了领带，照着镜子还唱，"洋装虽然穿在身，我人依然是农村人……"

本次双选会门票免费，为了给本校学生多一些机会，招聘期间，东大严密封锁四门，外校学生一律不得入内，护犊子之心颇为令人感动。可是仍然有不少混进来的，东大的学生有的找到工作了，就把发给自己的门票给了朋友，据说在黑市上，票价已经炒到每张100。

去会场的路上，碰见一个男生问我和刘学，"同学，大礼堂怎么走？"

我俩马上反应过来了，"兄弟，你不是东大的吧？"

那位兄台很酷，眉宇间有股轩昂之气，他不慌不忙地一咧嘴，"我给你们讲个笑话……

"有个大学生被反动派逮捕了，敌人把他绑在电椅上，说你是哪儿来的，不招就电死你！大学生说了一句话，敌人气急败坏地把他电死了……

"他说，我是电大的！"

刘学和我哈哈大笑，原来是电大的朋友，一起走吧。

进会场里转了一圈，果然如刘学所说，基本没有和我们贴边儿的职位，既然来了，好歹胡乱投了几份简历，我们就施展凌波微步挤出人堆儿了。

快中午的时候，我们在校门口又碰见那位电大朋友，他递给我和刘学两根烟，自己也点上，很平淡地告诉我们他已经签了。我和刘学很感慨，看来不论哪个学校出来的，还得有真本事。

当然东大学生也签了不少，像材冶学院，有的整班整班被签走了。只不过卖价不高，合同至少签5年，月薪800，转正以后能涨点儿，现在我们每月花的也不止这个数，真不知道该恭喜他们还是同情他们。

下午老疙瘩也回来了，耷拉个脑袋，好像沉甸甸的谷穗，更像霜打的茄子，一看就是没签上。老疙瘩说他看好的单位没看上他，看上他的单位他没看好，也不能卖得太贱了。

老疙瘩说他是"一身文武艺"，要"卖与帝王家"，可惜没有礼贤下士的明主来我们寝室三顾茅庐，其实不用三顾，一顾他肯定出山。

人家不来，我们只有自己去了。每天一早，打扮得花枝招展的众同学纷纷涌出校门，奔向市内的各个招聘会。

招聘会就像农贸市场，来的人不是卖蔬菜肉蛋的，都着急把自己赶紧卖喽。会场里人那个挤呀，前后左右都是一张张写满渴望与惶惑的脸，看来我们真赶上共和国的生育高峰了。投简历也是件力气活，讲究手疾眼快，看准了地方，马上以千斤拨四两的功夫分开众人，以白鹤晾翅的姿势递上简历，再抢着和招聘人员搭几句话。我的皮鞋被踩掉了 N 次，更惨的是后来发现裤子拉链被挤开了，刘学污蔑我有故意招摇卖弄私处的嫌疑。

那几天我晚上总做噩梦，梦见身旁密密麻麻的手臂像小树林似的，每只手上都举着份简历……醒来想想都心寒。

我找工作的方向是报纸、杂志、文化公司、网站什么的，本以为学新闻的应该有点优势，谁知道这竟是个天大的误会！人家宁可要学中文的，底子深厚，学法律、经济的复合型人才也有机会，就是对纯粹新闻专业的根本不感冒。

人家说了，十分渴求"广义的"传媒人才，市场、广告、公关策划、文案设计……很多职位都需要人，就是不缺我们这些"狭义的"新闻专业应届毕业生，想干采编也行，你有三年以上工作经验吗？

想当初学校还跟我们说科班出身如何如何，狗屁！强烈呼吁东大取消新闻专业，并且全额退还学费，不许再挂羊头卖狗肉！

我抱着垂死挣扎的态度和招聘方争取，最后 HR 小姐宽容地笑笑，"请把简历留下，回去等消息吧。"当然什么也等不到，这点我还是有把握地。

刘学只有比我更惨。虽然学校的牌子不硬，我专业课的成绩很烂，可他连个毕业证都没有，总不能跟人家说，"我在《传奇》里已经是 39 级，全沈阳也没几个……"

刘学长叹一声，"不怕没亮点，就怕有污点！"

文法学院的同窗们遭遇大抵相同，校园里一片愁云惨雾，听得最多的是"怀才不遇"四个字，我们觉得曾经笼罩屈原、李白、蒲松龄、曹雪芹的厄运，如今正向我们头顶上袭来！

有个已经找好工作的牛人教训我们，根本没有怀才不遇这一说，"如果真有才,大可以把想遇的东西一把揪过来……"

我们想骂他两句，一时想不出来词儿，也没有力气了。

我买了一大堆报纸，把求职就业版都给翻烂了，连中缝也不漏过。没事儿我就上《中国人才网》查招聘信息，差不多的都给发一份简历。到后来我落下毛病了，一看见"诚聘"之类的字样就心跳加速，两眼放光，也不管人家招的是厨师面案还是礼仪小姐。

接下来就是抻着脖子等消息。老疙瘩把小灵通换掉了，信号实在不好，说断就断，怕关键时刻耽误大事。老疙瘩说有句广告"痛则不通，通则不痛"，他可以白送给中国电信，难道中国上空总有太阳黑子吗？

法学系有个哥们儿就吃了电话的大亏，他吃饱了撑的没事干，下载了一款彩铃。那天他最重视的一家单位打电话要他去面试，偏巧手机不在他身边，人家听了一段极为搞笑的淫声浪语，就把电话撂了。等到这兄弟急火火地把电话打回去，人家说，"对不起，我们觉得您的个性不太适合这份工作……"可怜他欲哭无泪，狂怒之下把电话砸了！

现在我们连上厕所都紧紧攥着电话。

38 升华

渐渐地有人开始接到面试通知，陆续也签了不少。现在大家互相不怎么打听，都挺敏感的，就是问了对方也不一定愿意说实话。有个材冶专业的伙计，签到郊区一家小铸造厂，他告诉别人单位是"野村重工"。

相比之下，那种故作谦虚的就更恶心人，我在食堂门口亲耳听到一段对话。

"签了吗？"

"呃，签了签了，那边儿着急……"

"签哪儿啦？"

"唉，华东的一个小城——上海！"

"我靠！"

"是一家小公司——美国通用……"

当时我真有过去痛扁他一顿的冲动。后来想想，估计这哥们儿也是天涯沦落人，在那吹吹牛过过嘴瘾罢了。

老疙瘩终于迎来了面试，是家邮政信息技术企业，据说效益很好，但没什么知名度，公司羞答答地躲在东陵区的一个小街道里。

傍晚时分老疙瘩回来了，他倚着寝室的门框，脸色绯红地望着我们。

"签啦？"我们惊喜地问。

"嗯，签啦！"老疙瘩甜蜜又疲惫地喘着气，宛如一个终于失身的丑丫头，激动得浑身无力。

我的第一次面试发生在 5 月中旬，有家八卦新闻小报向我抛出了橄榄枝，此时我柔嫩的心脏就快被煎熬成一颗荷包蛋了。

老大是铁定追随县组织部长的小姐回去建设家乡了，寝室里根本抓不着他的影儿。赵赤峰的光明前途已经没啥可担心的，现在只有他是闲人，晚上就帮我恶补面试实用技术。

赵赤峰让我对着镜子练习微笑，说按照"八颗牙法则"，露出八颗牙齿，你的微笑才是最真诚的，露出满口牙，那就是想咬人了！

赵赤峰指着自己眼睛以下鼻子以上那一小块地方，"面试的时候你就看对方这里，这是社交凝视区……"

赵赤峰还很敬业地扮作面试考官，和我一起模拟现场提问的情况，他提出的最刁钻的问题是，"你讨厌什么样的上司？"他问的最欠揍的问题是，"如果单位不能解决你的户口，不能上医疗养老保险，加班没有补助……你会如何对待？"

我会发疯！

经过一番磨练，觉得心里有了点底气，头天晚上我洗了个澡，就差没斋戒焚香了。第二天一早我化了个淡妆，临出门前还特意看看刚买的皇历，今天"岁在吉星，诸事皆宜"！

我辗转倒了三路车才赶到那家报社，万没想到不过10分钟就被打发出来了，一开始我还觉得很有希望呢。考查我的是他们总编室主任，我陈述的时候偷眼看他，身体前倾，手放在下巴上，两脚分开，在后面的一只脚贴着椅子腿儿……当时我心里一喜，这种体态语言咱学过啊，是表示对谈话内容很感兴趣的。

可是人家还是不要我。后来反思，问题可能出在面试过程中我偶然发现，那位主任长得居然很像我农村老家的二流子堂哥，他就会喝酒赌钱打老婆——越看越像！估计我无意间在恭敬的表情下流露出一丝轻蔑，被人家察觉到了，所以也就死定了。

走出这家专门关注肉麻无聊社会丑闻的小报，我满腔悲愤，"我就想当个狗仔队，扒扒三流明星的隐私，我连人格都豁出去了，怎么还没人要我呢？"

回到东大，在校门口碰上唐美，她正要去影楼照明星照，"用人单位看简历都像选美，不扮靓点行吗？我还报名参加化妆辅导班了呢，本来女生找工作就难，现在妇联都只要男生！"

6月份我又接到几回面试电话，每次都是乘兴而去，败兴而归。

6月29日，这天早上我一醒来就觉得不同凡响，有两只喜鹊站在楼前的树枝上，冲我喳喳喳叫个不停。果然，下午就收到一封信，竟然是《人民日报》辽宁记者站的面试通知！

之前我压根儿没敢指望，多牛的单位啊，全沈阳市只要一个人，好比成千上万个精子去竞争一个卵子。当初我就是闭着眼睛投了份简历，后来让我参加了笔试，我也曾万分激动了一阵，等到考场看见满屋子的济济英才，我的心当时就凉了，这都是快一个月前的事了。

想不到人家《人民日报》竟然慧眼识英雄，看出来我有巨大的潜力。当时说笔试的通过率只有 5%，此次我的机会很大！

面试当天，我打扮得像衣冠禽兽似的，刘学、赵赤峰和老疙瘩站在寝室门口给我送行，他们依次走过来紧紧抱住我，一边咆哮，"给你力量！给你力量！"

我实在兴奋，一路上把通知放在包里又取出，拿出来看看又放进去，折腾了好几次。面试定在上午 10 点，我 9 点就赶到新闻大厦，人家的时间宝贵，俺的时间不值钱。接待小姐粉面含春威不露，丹唇未启笑先闻，她告诉我参加面试的只有三个人，你来得太早了，先到小会议室等候。

到会议室要上一段楼梯，我目不斜视，只看见前面接待小姐的屁股，我就跟随那屁股来到会议室。想不到有人来得比我还早，会议室里已经坐着一个小白脸男生。接待小姐要为我们倒水，他手疾眼快，抢着说"我来！我来"。接待小姐微微一笑，我深情地望了他一眼，这个小王八蛋真机灵啊，随后心里又忐忑，是不是考核从现在已经悄悄开始了？

等待的过程中，那男生拿着一摞材料念念有词，我刚凑过去，他就警觉地盖上了，一瞥之间，我知道了他叫徐志刚，辽大中文系的……第三个人迟迟没有到。

差 5 分 10 点的时候，接待小姐通知我准备进去面试，我深吸一口气，站起身来……就在此时，一个女生匆匆被带进会议室，她竟然是李蓝！

这真是太戏剧化了！做梦也想不到，我要与之殊死竞争的第三个对手，居然会是李蓝，一时间我突然感到贫血。笔试的时候并没看见她呀，估计是分批进行的。

李蓝的表情也很震撼。我深一脚浅一脚地走进面试间，仿佛走在云彩里。主试官是位和蔼可亲的中年妇女，她笑着告诉我，不要紧张。

我说，"不紧张，不紧张。"

主试官很随便地和我聊起来，问了一些我的特长个性，估计他们需要一个市场推广方面的人，当我说起实习时到晨龙公司拉广告，她听得很仔细，表现出很浓的兴趣……

我的表情略显机械，其实此刻我的内心狂乱无比！和李蓝在一起的种种场景全都涌上心头，尽管两个人分手了，但过错在我，而且毕竟曾刻骨铭心地爱过一回。李蓝比我更需要这份工作，她一个孱弱女子……而且只要她留在这座城市，我不奢求别的，隔段时间能远远看她一眼也是好的……我的眼前浮现出李蓝苍白的面孔，我已决心要为爱牺牲！

主试老师看出我的烦躁，询问地望着我。我缓缓站起来，"老师，有件事情我必须坦白告诉您，其实我……"

一不做二不休，我把心一横，"其实我和外面的徐志刚同学，我们都已经找到工作了，在辽宁电视台……我们只是想再次检验一下自己的实际定位……很抱歉浪费了您的宝贵时间……"

在几位面试官无比惊愕的目光中，我深深鞠了一躬，昂然走了出去。在会议室门前，我意味深长地望了李蓝一眼，又满怀歉意地看了那男生一眼，转身走了……

我觉得自己真是伟大，恨不得化身出来拍拍自己的肩膀，"王小旗，你是有情有义的汉子！"

走到外面凉风一吹，我冷静了许多，摸摸兜里几个叮当作响的硬币，我彻底瘪了。

39 曲 终

我又恢复了寻寻觅觅的生活。

每天我和刘学结伴出去，看能不能碰上个死耗子，我们早晚各要经过一次北门外三好立交桥的坡道，有一天我若有所悟，"原来上坡路和下坡路是同一条路啊……"

刘学想了想说，"你这个屁放得很深奥！"

终于有一天，刘学绝望了。他说沈阳这个地方只认文凭，也许十年八年以后会有所改变，但是他等不起了，再留在这只有死路一条，他要去京城闯闯！

女棋圣已经和一个律师事务所签了意向合同。听了刘学的想法，她只淡淡说了一句，"嫁鸡随鸡，嫁狗随狗，嫁个猴子满山走……"女棋圣把到手的合同折成一枚纸飞机，站在楼顶上用力一掷，纸飞机在空中盘旋良久，我们的心也随着飘上荡下……

我的工作依然没有着落。据资料上说，今年全国应届高校毕业生338万，就业供需比例为10∶7，我就在那没人要的3个里面！刚进东大的时候，听说我们学校男女比例10∶4，那找不着对象的6个又有我，我怎么总那么倒霉啊！

下午，我待着没事儿在校园里闲逛。二舍南头摆出一溜儿摊子，那是快毕业的同学在甩卖家当，小学弟小学妹们没有孔融让梨的情谊，却存着趁火打劫的念头，杀价杀得特别凶狠。

一个胡子拉碴双眼失神的家伙引起了我的注意，不知道是哪个系的，但一看就是个倒霉蛋。他翻来覆去就两句话，"杂志5毛一本，一本5毛。"

有人过来砍价，"10本4块卖不卖？"

他倔乎乎地一口回绝，"不卖！"

我凑过去，"买10本多少钱？"

"5块。"

我把脑袋摇得像拨浪鼓似的，"不行不行，我只能给你6块！"

"不……"那位兄台刚说了半个字，噎住了。

我笑呵呵地捡出10本杂志，交了6元钱就闪了。留下那家伙愕然老半天，"真是有病！"

其实我没别的意思，就是同病相怜，想让他意外地快乐一下，增添点生活的勇气。

回到寝室，却见老大正和下届一个学生大喊大叫，"这不是抢吗？嘎嘎新的电脑就给 1600 块钱，一斤还合不到 30 块钱!"

那小子悻悻的，"不卖您就留着，二舍那边比你这个配置高，才 25 块钱一斤!"

最终没能成交，双方不欢而散。

这些日子快毕业的学生几乎天天出去喝酒，最后基本上都是哭声一片，把饭店搞成了灵堂。其实不管我们愿不愿意承认，不管对学校有多少怨言，大家内心深处还是舍不得走的。就像婴儿留恋子宫里羊水的温暖，对外面未知的世界充满恐惧，无论头先出去，还是脚先出去，我们都不想那么快出去。

东大民间组织了第三届 CS 对抗赛，这次刘学参加了，算是为了忘却的纪念。网上的那些小兄弟充满了惜别的温情，下手极有保留，有的干脆自己送到刘学的枪口下，"啊呀"一声挂了！到后来刘学打不下去了，他拼命眨巴眼睛不让泪水流下来。

因为头天晚上喝多了，我一直睡到下午。有几个电话打进来，开始我没听见，拿起来一看是个陌生的号码。

"谁呀？"我问。

"王小旗，我是李蓝！你有时间吗？我在南门外小树林等你……"

我的酒全醒了，心脏狂跳不已，10分钟之内我就冲到小树林。

李蓝静静地站在那里，很久没有说话，那一点点微弱的希望，让我屏住呼吸。

"谢谢你。"李蓝终于开了口。

"那天我一进去，面试老师就笑了，说刚才出去那个是你男朋友吧？他挺有意思的……"

原来人家早就识破了，想起面试女老师和蔼的笑脸，我心头一热。

"他们需要一个能驻外的，最后考虑了那个男生……无论如何，真的很感谢你……"

我岔开话题，"刚才为什么不用手机打电话？"

"我的手机丢在路上了，用的是公用电话……"

"机不可失，时不再来啊！"我语带双关。

李蓝瞥了我一眼，没搭腔。

李蓝沉默了一会儿，"现在说说我们俩的事儿吧……"

我的心再次狂跳。

"我想先问你为什么喜欢我？"

我一时哑然呆住。为什么？我记得第一次见到李蓝，刹那间就想起《荷塘月色》里田田的叶子，浅浅的花苞，"有袅娜地开着的，有羞涩地打着朵儿的……微风送来缕缕香，仿佛远处高楼上渺茫的歌声……"

那感觉就像小时候，见到妈妈给我买的第一个文具盒。从此后我的心情起落，都因为她一个微笑的样子，或是一个皱眉的表情……可，这是能说出来的理由吗？

我摇摇头，"说不好，我只知道我喜欢你，却不知道怎么才能让你喜欢我……"

李蓝低着头，轻轻地说，"我想，这是性格的问题……"

性格？我都不知道自己还有性格！

李蓝抬起头，她的声音柔柔的，仿佛怕打扰摇篮里的婴儿，"你愿意听听我父母的事情吗……

"我妈妈姓蓝，所以我叫李蓝……她在乐团里拉小提琴，年轻时她很美，有很多人追求她……我爸爸是搞雕塑的，人们都说他有才华。因为他特别懂得浪漫，又风趣又热情又体贴……妈妈爱上了他，嫁给了他……

"我小的时候认为爸爸是全世界最有魅力的人，每个节日他都能给我们意外的惊喜，他的一句话就能逗得全家人开心……可是后来，爸爸和妈妈离婚了！那年我 11 岁……

"后来，我问过爸爸，为什么要离开我和妈妈，爸爸抱着我，说他累了倦了烦了……再后来，爸爸又喜欢上另外一个阿姨……"

我突然感到很恐惧，好像自己无意中已经铸成某种大错，手脚开始发冷。

只听见李蓝说，"我知道你对我好……你聪明、心地善良，有时候你也挺老实的，可实际上你是个特别浪漫的人！你的感情太丰富，就像《天龙八部》里段誉的爸爸段正淳，为了爱什么都做得出来，让人心里永远都不安稳，让人害怕……"

我强笑着纠正她，"其实，段誉的亲生父亲是四大恶人之首的段延庆！"

李蓝无奈地望着我，摇了摇头，"我们不适合的，我只想有一个人，他将来能陪我过细水长流的平淡日子，而你，太孩子气了，你骨子里喜欢的是戏剧化的生活……我试过了，也想了很久，真的不行，对不起……"

我的胃剧烈地疼起来，抽搐成一团，浑身无力得快要虚脱，我感觉自己就像一个该死的白痴。四年来我对爱情的苦苦经营，前提竟然是一个无厘头的误会，这一次饼画得太大，让我无法咽下去。

我曾有过类似的记忆，高考时答政治卷子，最后一道大题 30 分，慌乱中我没认真审题，结果答得越多，错得越远……

李蓝的眼神清澈又坚强，一瞬间我懂得了，这个外表柔弱如水的女孩，内心世界是无比的倔强与坚定，最起码她清楚地知道，自己不要什么……

我嘴唇动了动，想出声挽留，最后又咽下去了，难道我有这个资格吗？

默默地站了很久，李蓝抬起头，她的脸色开朗起来。最后望了我一眼，仿佛要说些什么，却只说出两个字，"再见！"

"再见！"

她又站了一小会儿，终于转过身，踏着小心翼翼的步子向小树林外面走去。

李蓝的背影慢慢从我视线里消失，我知道，她在我的生命里也永远地消失了！

我走出小树林，已经是夕阳西下。黄昏，是人在一天中视力最差的时候，我抬眼望去，满街都是美女，不远处的街道和建筑物也变幻了通常的模样，好像电影里的布景，周围的一切都被涂上层金色光晕。

画面很美，美得像一个谎言！

40 余音

同学们都走光了。

李蓝后来去了大连，刘学两口子去了北京，其他人也各有各的归宿。回家工作的那叫落叶归根，到外地去闯的愿他们落地生根。

有句话说，工作着是美丽的，同理像我这样没工作的，当然就是无比丑陋的。到了 8 月份，我还像只野狗似的无人收留，忽然接到晨龙公司李总的电话，他先问我就业了吗，然后又问我是否愿意到他那里工作。

"愿意！我愿意!"在这个穷途末路的时候，李总甩给我一个机会，我除了感激涕零还能怎样？

李总是白手创业的民营企业家，没念过几年书，人很爽直，特别想干点事业。给我的工资不算高，但工作很愉快，提些建议公司也很重视，偶尔下班后李总还和我一起喝点小酒。

我很满足。

转眼一年多过去了，老疙瘩从原来的单位出来，自己在三好街开了一家公司，木耳有时间就过去帮忙。这两口子和我经常见面，离东大都不远但我们很少回去。有时我会很文学地说起对母校的怀念，又在梦中见到自强路的马尾松，逸夫楼的课桌，趴在上面睡觉是生平最香甜的……老疙瘩不屑一顾，一言点醒我，"怀旧其实不是因为过去就多么好，而是那时候，我们年轻!"

张宽也间歇性地来找我。他不知道走的什么门路，居然混进了电视台。张宽说自己只是部里聘的，要想"台聘"，签正式工作关系，没有副台长以上关系不成。

这小子女朋友走马灯似的换，据他说，这个因为送央视培训去了，那个考上研究生走了，其中竟然还有一个去了哈佛商学院。

"哈佛算啥呀，不就美国一民办大学吗!"张宽很牛逼地说。

我说，"张导对象没搞成,这两年为国家输送不少人才啊!"

　　张宽最近一个女朋友跟大款跑了。张宽说那是个暴发户,"打高尔夫像扛锄头,开了部 7 系宝马——还是粉红色儿的!"

　　我闭上眼睛,实在无法想象,坐在如此娇艳的宝马车中的大款,究竟是怎样的风采。

　　张宽挣得不少,花得更多。一天他来朝我借钱,张嘴就要 20 万,说相中了一套房子。

　　我问,"房子总共多少钱哪?"

　　"20 万!"

　　我大怒,"我是你亲爹啊?"

　　张宽马上改口说借 2000,三天之后保证归还。我给他拿了 500,说,"你要有这能耐,也就不朝我借钱了,赶紧滚!"

　　果然,很长时间张宽一直都英雄无觅处。

　　对李蓝我已经彻底放弃了,可是真的能完全忘却吗? 实际上我在做什么事的时候,经常幻想李蓝在看着我,她会说什么呢? 为自己假设一个旁观者,会让生活中平常的喜悦哀伤显得更有滋味。

　　周末我正准备下班,收到大连同学的一条短信,是有关李蓝的,心中还是习惯性地一颤。他告诉我下周日李蓝要举行婚礼了,问我愿不愿意参加。该来的始终都要来,我已经能做到很平静了。

　　我去邮局打算给李蓝寄份贺礼。口袋里还有 1300 块钱,原来想寄个整数 1000,我再次想起了算命先生骗我的 210 元,咧嘴乐了一下，留下100，把剩下1200元都寄出去了。钱是俗气了一点，可是很实际。有一次我偶然把"铁一般的事实"，误写为"钱一般的事实"，从此后我总故意那么写，觉得更有说服力！

周六，忽然又接到刘学的电话。这小子发达了，混进一家特牛的网络游戏公司，现在已经是部门总监或者经理助理级的人物，很快就要挣年薪了。

刘学在电话里嗓门很大，"还活着哪？是不是很思念哥哥我啊？今天晚上我就回沈阳！"

刘学开始跟我臭显摆，"哥哥有车了！我先处理点儿公务，晚上我和你嫂子开车往回赶……你听电话是不是信号不太好啊？帕萨特，封闭特严！"

我都能想象出他那个得瑟劲儿，忽然听见他那边好像有人在哧哧窃笑，我脑袋里灵光一闪，大骂他，"你他妈别跟我装啊！狗屁帕萨特，一听发动机那动静儿我就知道，充其量是个破捷达……"

刘学被我诈出来了，唬得半死，"行啊！兄弟你真是行家啊！"其实我那是瞎蒙的。

我先给老疙瘩两口子打电话，又约了省科技厅的官员赵赤峰，周日上午在我单位旁边的酒店等这俩北京人儿。快10点了，刘学和女棋圣才到，他在外环迷路了，打听了半天。到酒店门口，刘学先张罗找地方停车，老疙瘩和赵赤峰过去又摸车头又摸车屁股，对刘学的宝贝捷达耍了好一阵流氓。

我骂，"别献宝了，赶紧进去吧，我们早上都没吃饭呢！"

女棋圣和木耳搂脖子抱腰地和我们一起进了包房，今天大家都穿的挺隆重，显得日子过得很红火。

哥儿几个扯扯淡，互叙别后情形，不知不觉一箱啤酒就下去了。大伙谁也没喝多，正是将醉未醉的临界状态，感觉最舒坦。

我问刘学，"北京大酒店都吃遍了吧，什么长城、昆仑、香格里拉……"

刘学一吐舌头，"那地方是老百姓去的吗？"

刘学说，刚到北京时他太惨了，靠女棋圣养活。他会画画，跑到大街上给人画肖像，可是竞争不过美院出来的专业画匠，有一次还让人打了……后来，刘学琢磨出一个道儿，跑到贵族区里面画人家的别墅，画完了再敲门卖给别墅的主人，人家基本都不讲价，富人的钱特别好挣！

刘学说，"直到进了这家公司搞游戏设计，我才算走上正道……"刘学说话的时候，女棋圣一直在旁边看着他。

我喝下一大杯啤酒，问刘学，"你知道吗？李蓝今天结婚。"

老疙瘩在旁边说，"他早知道了，要不然今天也不能回来……"

我看着刘学红通通的脸，没吭声，心里刹那间却被填得满满的。

过一会儿，刘学问我，"你有什么打算?"

我说，打算找一个我晚上回来，告诉我"饭菜在锅里，俺在床上"的媳妇儿，好好过日子。

刘学猛力拍我的肩膀，你总算是悟道啦!

大伙又灌了几杯酒，都开始兴奋，刘学大喊，"旧的不去，新的不来，让我们为李蓝同学喜结良缘举杯庆祝!"

老疙瘩说，"现在李蓝的婚礼肯定正办着呢，我们这就算分会场吧，跟央视春晚一样!"

老疙瘩又说，"下面就请刘总监代表新郎父母讲话，大家欢迎!"

刘学的舌头都团了，"今天，我儿子结婚，真不容易啊……小时候一场大脑炎，高烧严重影响了他的智力……后来工作中一次事故，他的小鸡鸡又折断了! 李蓝姑娘没有嫌弃他，纯真的爱情让他们走到一起来了……"

大家轰然大笑，女棋圣和木耳都骂刘学嘴太损。

老疙瘩又让我代表新娘家长讲话，我说，"李蓝，李蓝……"喉头忽然哽咽了，一句话也说不出来。

刘学见气氛有些低落，赶紧张罗，"大家唱歌，唱歌!"

赵赤峰提议唱《同桌的你》，叫刘学给骂回去了，说太败兴，唱个喜庆点的，昂扬点的。

结果我们先唱了一首老歌《甜蜜的种子》，"甜蜜的种子，甜蜜的种子，飞满天喽喂……"

接下来又唱《打靶归来》，当年我们文法学院大合唱的获奖曲目。

后来越唱越下道儿，唱起了儿歌《春天在哪里》，我们放声号叫，重金属里面混合着民间小调，把一首很阳光很欢快的歌曲唱得好生凄惨。

"春天在哪里呀？春天在哪里？春天在小朋友的眼睛里！这里有红的花呀……"

我靠在椅子上，看见刘学悄悄出去结账，我没有拦他。

看看身边喝酒的，还是熟悉的几个人，窗外的景物，却已经改变了很多。透过热泪盈眶的眼睛，我感觉光阴仿佛出了差错，自己正经历着过去的某个场景。

李蓝，多少年以后，你还会记得我吗？如果忘掉了也好，当初我的一见钟情一厢情愿一往情深，带给你很多烦恼吧，原谅我。

……

李蓝，即将成为别人妻子的女孩，

请你，请你一定要幸福啊！

（全书完）

感谢信 （代后记）

这一刻俺已经等了很久了。

本打算要做一个简短而牛逼的发言，"……之所以有了今天这一点点的成绩，完全是……"

"俺个人努力的结果！和各位领导、同志们的帮助……"

"没有啥关系！"

后来一想，这么干实在太亏心，真的有很多人很多事要好好感谢一下：

首先要感谢俺平淡无奇的大学生活。大学卖给俺那点儿知识是很对不起俺交的学费的，同样现在老板能给俺这么高工资也是因为不了解俺的实际本事的，总的来说，俺是不赔不赚有得有失的！四年大学生活最有意义的，是让俺弄明白了自己真的就是个普通人——过去俺一直都不敢相信的！

接下来要感谢俺同样长达四年的暗恋，可真是够暗哪，那女孩子从入学到毕业直到嫁人现在成了孩儿他娘都一直蒙在鼓里，俺就神不知鬼不觉地一个人刻骨铭心肝肠寸断，俺的掩饰功夫实在了得啊……

还要感谢当初烦得要命现在想念得要死的兄弟们，当初一般烦的，现在一般想；很烦的，很想；最烦的，最想！你们都还活着呢吧？给咱爸咱妈咱媳妇儿咱大侄子大侄女带个好儿啊！

以上是俺写《没人疼》这个故事的全部素材来源。

还要感谢新浪网读书频道，他们网页上有一句话，"为自己的青春作传"，俺当时一看到就觉得五雷轰顶，感受到林青霞张曼玉莫文蔚舒淇范冰冰章子怡众佳丽脱得光光地站在俺面前那种难以抗拒的魅惑……

还要感谢三个人。第一个是俺媳妇，俺刚说想把小说写出来，她嘴歪得好像中风了，"呸，就凭你那熊样……"第二个是韩喆小朋友，她真诚地鼓励俺，"快点动手写吧，我认识的人当中就属你最能瞎白话了……"第三个是搜狐网的樊暮雪，她断然道，"写吧，我相信你能行！现在写小说的也不全都真有才华，也有不少不知道天高地厚贼大胆的……"俺没明白她到底是什么意思！

正是因为有了来自正面、反面和侧面的全面刺激，促使俺在极短的时间内狗爬兔子喘地完成了这部作品。

必须要提到的是本书的编辑阿朱姐姐，此人可以用八个字概括，"貌若天仙……性如烈火！"——可不是"心如蛇蝎"啊！她脾气那个急呀，说话那个直呀，做事那个干脆呀，让满肚子城府满嘴外交辞令的俺很不适应。实际上她真是心肠极热，特别尊重、理解俺们这种初出茅房的小作者。没有她就没有俺这本书，这和没有共产党就没有新中国一样千真万确。

还有本书的美术设计马寄萍女士。她搞好了封面和版式出于客气请俺看一眼，可俺从来就不知道啥叫客气啊，就上去指手画脚瞎讲一通。等马女士将信将疑地改完，俺越看越别扭，当即要求她马上恢复原来的样子！马女士存盘的时候另起了个文件名 "《没人疼》xhn"，俺立刻很敏锐地意识到，xhn肯定是"瞎胡闹"的缩写啊……

……

要感谢的实在是太多了，三张大红纸也写不完啊，千言万语浓缩成一句话吧——谢天谢地谢朋友！

最后还要在这里预告一下，俺已经决定再接再厉，趁热打铁，推出《没人疼》的姊妹篇，书名就叫《招人烦》！请朋友们一定要关注哟！

温文稳问
2005年6月19日饱饭后

青春爆笑小说 笑死人不偿命

《贼可爱》选载

12 游泳"贱"将

终于盼到了上游泳课的日子，

经过一个星期练习我游泳的水平已经挺不错的了。

至少已经摆脱了狗刨儿阶段，而这一切都是来自爱情的力量。

我没脸见人了

此时的小玲正在为不会游泳而发愁呢，太好了，我的机会来了。

我一个深水捉鱼游了过去，

"小玲，你不会游泳呀！"我问道。

"是呀！我以前从来没游过。"

"那让我来教你怎么样？"

"太好了，我正为这件事情犯愁呢！"

我骄傲地说："教你游泳的工作就包在我身上了。

游泳前要先练习呼吸，要注意在水里应该屏住呼吸，否则容易呛着。"

"山峰，你真像是一个游泳专家呀！"

"是吗？如果你愿意的话我愿意做你的私人教练，

一直在你身边教你游泳。请问你愿意吗？"

"愿意，我当然愿意。"

我们紧紧地相拥在一起，此时游泳馆里也响起了同学们祝福的掌声。

这个掌声怎么没完没了呀，我一下从幻梦中醒了过来。

原来是阿星为了叫醒我在那里拍手。

阿星说："你跟个神经病似的在那里抱着柱子干什么呢？"

"没干什么，这是我的游泳教练教我的热身运动。"我失望地说。

我和阿星来到了游泳池旁。

阿星此刻看起来很兴奋，而我却有些不好意思。

阿星在一旁说道："这算什么呀，在日本男女同浴都是正常的。"

"是吗？我要去日本。"我在一旁说笑道。

此时泳池里的人已经不少了，啊！小玲也来了。

她正在那里欢快地游着，就像一条美丽的五彩鱼。

看来教小玲游泳的计划是落空了，不过没关系，

我还可以在小玲面前充分展示自己这一周来的成果呀。

阿牛刚刚教完一位计算机二班女生游泳，走到我的身旁，

说道："兄弟，你的内裤很别致呀！"

"什么内裤，这叫泳裤。"

说完这话我才有些反应过来，在场所有男生穿的都是深色的泳裤，

只有我穿着一条星条旗的泳裤。

我说刚才一进来，怎么那么多人用诧异的眼光看我呢！

都怪这个死阿星，非告诉我第二张脸应该好好装修一下。

而他却穿着一条黑色的，岂有此理。

说道这里不免让我想起了《第一次的亲密接触》中那句经典的台词。

我轻轻地游着，在这美女如云的游泳池之中。

大家投射过来异样的眼神。

诧异也好，欣赏也罢。

并不曾使我的泳姿凌乱。

因为令我骄傲的，不是你注视的目光。

而是我米旗的泳裤。

之后，我便看见一位女生向"美国国旗"的方向指指点点。

旁边有个女生已经乐抽了。

啊？旁边的女生不是别人，正是小玲。这次糗大了。

人生不如意十有八九。

我心说，指什么指，没见过如此别致的东西吗！

为了不让别人看见我的与众不同，我决定跳进游泳池里。

我摆了一个非常优美的 POSE，刚要跳，

阿星在后面踢了我一脚，我扑通掉进了游泳池。

我又一次给大家带来了笑声，而这一次是牺牲了我作为男人的尊严，

而且又是在小玲面前。

此仇不报非君子，我在酝酿着一个报复阿星的计划。

呵呵，也要让他出出丑。

阿星刚刚教完一位女生游泳，正准备到座位上休息一下。

我想我的机会来了，我像鱼雷一样游到了他的身后。

此时，他正扶着栏杆往上走。

我从后面一把抓住了他的泳裤，我本想把他拽下来，臭扁他一顿。

结果他一上我一拽，本世纪最耀眼的一幕就此上演了。

阿星的泳裤被我拽了下来，而他则一丝不挂地呈现在大家面前。

只听，无数声的尖叫，无数声的嘲笑。

此刻我才知道自己闯祸了。

阿星愣在那里，他不敢相信眼前这一幕是真的。

五秒钟后他才反应过来，捂着他的第二张脸跳回了游泳池。

结果，不一会儿我就被学生处的老师领走了，说是要记过处分。

我发誓我真不是故意的，也许是这条泳裤的质量太差，

或是阿星穿的尺码太大也说不定呀！

而老师们一致认为我的这种行为太恶劣，太恶毒。

你怎么能在光天化日之下就……

看来我已经百口难辩了，干脆请求宽大处理吧。

最后，我被宽大为留校察看。

本来是一堂非常不错的游泳课，结果被我搞成这样，真是罪过呀！

我突然想起了小玲，那一幕小玲也……

我不敢往下想，就当是场梦吧。

在这个梦中我差一点被学校除名，而阿星终于出名了。

青春工场 爱情作坊

青春爱情坊重点书目

《天使的眼泪》

　　(作者：伊人　定价：16 元)

·《海上花开》

　　(作者：伊人　定价：16 元)

　　中国版《蓝色生死恋》

《新不了情》

　　(作者：伊人　定价：12 元)

《仿若归来》

　　(作者：伊人　定价：15 元)

《我恋爱，我容易吗》

　　(作者：小北风　定价：18 元)

《大四了，我可以牵你的手吗》

　　(作者：黄湘子　定价：16.50 元)

《是谁恋上谁的心》

　　(作者：黄湘子　定价：14 元)

《你的恋爱我做主》

　　(作者：达达渝　定价：14 元)

《爱情是个懒东西》

　　(作者：张楠　定价：16 元)

·《穿过风花雪月的年少》

　　(作者：何小天　定价：17 元)

　　新浪第二届华语原创文学大赛何

　　小天力作

《我就不信你不爱我》

　　(作者：光光　定价：16 元)

《当青蛙爱上 MM》

　　(作者：小林子　定价：14 元)

·《贼可爱》

　　(作者：冰鱼　定价：15 元)

　　笑死人不偿命

NEW·《想好好爱一个人》

　　(作者：短发夏天　定价：14 元)

　　17 岁另类才女惊艳力作

　　各大网站置顶热帖

　　青春浪漫的爱情故事

　　唯美感人的"纸上韩剧"

NEW·《五百次回眸》

　　(作者：盈风　定价：13 元)

　　前世五百次的回眸，才换今生的

　　擦肩而过

　　唯美爱情　痛彻心扉

　　以上图书，欢迎到各大书店购

买。也可向出版社邮购（按定价汇

款即可）。在汇款单附言处写清所购

书名，汇款至：沈阳市和平区十一

纬路 25 号春风文艺出版社邮购部

邮编：110003

咨询电话：(024) 23284402

联系人：徐静

征稿启事

1. 征集长篇小说，电脑自动统计字数在七万至十万字之间为宜。

2. 题材：A 青春言情小说，唯美感人、青春四溢。B 校园小说，清新向上，幽默有趣，可读性强。拒绝低俗、颓废。读者对象为初中生、高中生及大学生。C 儿童文学品牌"七色狐丛书"征集长篇童话。电脑自动统计字数在六万左右。作品要求突出校园性，幽默有趣，可读性强。读者对象主要为小学高年级学生。

3. 请先用 E-mail 或邮寄方式提供作品简介、作者介绍、作品的第一、二章（请勿将完整的作品寄来）、联系方式（地址、电话、E-mail 等）。

4. 一经采用，我们会主动与您联系，一个月后未收到回音，可另投他处。来稿一律不退，请自留底稿。

5. 群众的眼睛是雪亮的，欢迎推荐他人精彩书稿，您推荐的作品如被采用，我们会酌情酬谢。

110003　沈阳市和平区十一纬路 25 号
春风文艺出版社青春爱情坊　阿朱
E-mail: aiqingfangzhu@126.com